中国の的確な
貧困脱却達成の物語

精準脱貧

編者●人民日報国際部・日中交流研究所

日本僑報社

目次

第二章 産業振興 ――新たなビジネスの原動力―― 61

※本書に記載の為替レート等は、特に記載の無い限り記事掲載当時のものです。

前書きに代えて

中国の貧困脱却成功は世界のモデルとなる

二〇二一年二月二十五日、習近平国家主席は全国貧困脱却難関攻略総括表彰大会で重要談話を発表し、中国が貧困脱却難関攻略戦に全面的に勝利し、現行基準下で農村の貧困層九千八百九十九万人が全て貧困を脱却し、八百三十二の貧困県、十二万八千の貧困村が全て貧困の指定を解除し、地域の全体的な貧困が解決され、絶対的貧困の根絶という極めて困難な任務を達成したことを正式に発表した。

改革開放以来、現行の貧困基準で計算すると、中国では農村の七億七千万人が貧困を脱却した。世界銀行の国際貧困基準では、中国の貧困削減数はこの時期の全世界の貧困削減数の七十パーセント以上を占める。とりわけ、全世界の貧困状況が依然として厳しく、一部の国で貧富の二極化が激化する中で、中国が国連の「持続可能な開発のための二〇三〇アジェンダ」の貧困削減目標を十年前倒しで実現したことは、国際社会から幅広く称賛された。国際労働機関（ＩＬＯ）のライダー事務局長は、「中国は四十年余りで数億人の貧困脱却に成功した。全世界がこれを無二の成果と捉えている」と指摘する。

中国は国情に立脚し、貧困削減の法則を把握し、通常とは異なる一連の政策措置を打ち出し、効果的な政策・取り組み・制度システムを構築し、中国の特色ある貧困削減の道を歩み、中国の特色ある貧困対策理論を作り上げた。ラオスのブンニャン・ウォーラチット人民革命党総書記・国家主席は湖南省湘西十八洞村や福建省寧徳下岐村を相次いで訪れ、ターゲットをしぼった貧困者支援という中国の実践を現地で感じ取った。ウォーラチット総書記は、「中国の貧困脱却の難関攻略における成功経験は非常に貴重だ。我々は中国のやり方をラオスに持ち帰りたい」と語った。

中国は百二十余りの発展途上国の国連ミレニアム開発目標の実施を支援した。世界銀行の研究報告によると、「一帯一路」イニシアティブの全面的実施によって関係国の七百六十万人が極端な貧困を脱却し、三千二百万人が中程度の貧困を脱却する見通しだ。国連のグテーレス事務総長は、中国がアフリカなど発展途上国に対して、協力・ウィンウイン、共同発展という政策を取っていることに感嘆。これは世界の貧困削減事業に対する中国のもう一つの貢献である。

習近平主席は、「古今東西にわたり、これほど短期間に数億人の貧困脱却を実現した国はない。この成果は中国のものであると同時に世界のものでもあり、人類運命共同体の構築促進に対する中国の貢献である」と指摘した。新たな出発点に立ち、中国は引き続き全ての人々の共同富裕という目標に向けて邁進し、国際社会と共に、引き続き貧困のない、共に発展する人類運命共同体の構築に向けてたゆまず努力していく。

（和音）

データで見る中国貧困脱却の成果

二〇二一年二月二十五日、習近平国家主席は全国貧困脱却難関攻略総括表彰大会で重要談話を発表し、絶対的貧困の根絶という極めて困難な任務を達成したことを厳粛に宣言した。特に直近の八年間には、下記のような成果を挙げ、一億人近くの中国人が貧困から脱却した。

八年続けての奮闘を経て、一億人近くが貧困を脱却

現行基準下で九千八百九十九万人の農村貧困層が全て貧困を脱却し、八百三十二の貧困県と十二万八千の貧困村が全て貧困県・貧困村の汚名を返上し、地域的な貧困全体が解決され、絶対的貧困の根絶という極めて困難な任務を達成した。

八年間で貧困脱却対象地区に生じた多大な変化

貧困者登録家庭の義務教育段階の中途退学がゼロに。不備のある義務教育学校十万八千校を改善。村の医務室二十万カ所余りを建設・改築。条件を備える郷・鎮と建制村の全てで舗装道路、バス、郵便ルートが開通。農村の道路百十万キロメートルを建設・改修。鉄道三万五千キロメートルを建設。貧困地区農村送電網の電力供給信頼率が九十九パーセントに、大規模送電網カバー範囲内の貧困村の通電電力比率が百パーセントに向上。貧困村の光ファイバーと4Gの開通率が共に九十八パーセント以上に向上。

貧困者支援のための村駐在

累計二十五万五千人の村駐在支援活動チーム、三百万人余りの第一書記や村の共産党幹部などが村に派遣され、二百万人近くの郷・鎮幹部、数百万人の村幹部と共に貧困者支援の第一線で奮戦。毎年百万人近くが村に駐在して貧困者を支援。

貧困者支援融資

貧困者支援のための少額融資を累計七千百億元余り行い、千五百万余りの貧困世帯の産業発展を支援。

貧困者支援のための再融資を累計六千六百八十八億元余り行い、ターゲットをしぼった貧困者支援融資を九兆二千億元余り実施。

財政投入の拡大

八年間で中央、省、市・県財政から貧困者支援特別資金を累計一兆六千億元近く拠出。うち、中央財政は六千六百一億元。

健康面からの貧困者支援

貧困層の入院・医療費のうち実際の医療保険給付率：五十パーセントから約八十パーセントに向上。

貧しい患者を累計で二千二十四万人を支援。

貧困脱却のための移住	960万人余りが貧しい集落から移住
危険家屋の改造	790万世帯、2568万人の貧困層に安心な住宅を提供し、累計で3万5000の集団移住区、266万の移住先住宅を建設
産業による貧困者支援	貧困家庭の98％をカバー
環境面からの貧困者支援	貧困層2000万人余りの貧困脱却をサポート

中国全土の農村貧困人口（2012～2020年）

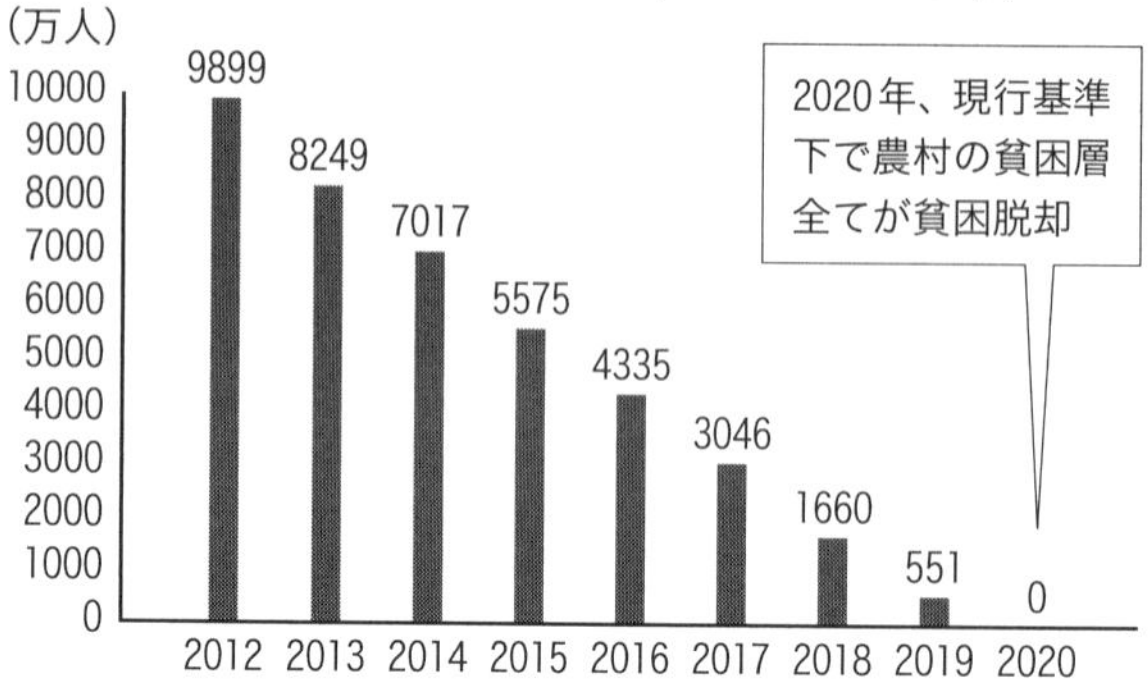

貧困登録者の一人当たり純収入　（元）

2015年	2982
2020年	10740

年平均増加幅は全国の農民収入を20ポイント上回る。

全国農村最低生活保障平均標準　（元／1人・1年）

2012年	2068
2020年第3四半期	5842

貧困層1792万人が最低生活保障を受給。

人々の声

以前は仕事をする際、大衆の理解を得られず辛いことが多かった。現在では幹部と大衆、党と大衆が一枚岩となり、皆が村をどううまく発展させるかを一心に考えている。

——趙家清（雲南省騰衝市三家村党総支書記）

日中は山間部や谷間にある地域を回り、夜は会議を開く。心を砕いて大衆を支援する。貧困脱却の難関攻略において疲れることなど決してない。

——汪雲友（重慶市石柱土家族自治県華渓村第一書記）

今は出稼ぎに行かなくてもお金を稼げるようになり、満足している。今後観光がさらに発展し、もっと多くの人が来るようになってほしい。

——莫色爾火（四川省昭覚県火普村村民）

当時は貧しくて村から離れられなかった。今はいい生活を送ろうと村に戻ってくるようになった。

——張桂林（河北省張北県徳勝村村民）

貧困村の指定が解消され、自分たちの足でしっかりと立てるようになった。今後もそうしていけるかは自分たちの両手にかかっている。

——呂有金（青海省互助トゥチャ族自治県班彦村村民）

今の子供たちは数百メートル歩けば学校に行け、通学しやすくなった。子供たちは一生懸命勉強している。

——王昇（寧夏回族自治区永寧県原隆村党支部書記）

村の幹部は日々村民の事を心配してくれている。どうして我々ががんばらずにいられようか？　小康（ややゆとりのある暮らし）を実現するのに、足を引っ張るわけにはいかない。

——董仙竹（河南省蘭考県張荘村村民）

貧困脱却は所得を増やし小康へ向かう第一歩に過ぎない。十八洞村は各方面でまだかなり後れをとっている。今後も習近平国家主席の言葉を胸に刻み、初心を忘れず、引き続き前進し、「腕まくりして」頑張り、農村振興という大仕事を成し遂げなければならない。

——石登高（湖南省花垣県十八洞村村駐在工作隊元隊長）

貧困脱却の難関攻略においてもっと重要なのは、幹部と大衆が力を合わせて取り組むことだ。

——郄志忠（河北省阜平県顧家台村元第一書記）

今は村の収入の手立てが増え、良い産業ができ、みんなに仕事がある。貧困脱却と所得増加について心配する必要はない。

——遊存明（山西省岢嵐県宋家溝村村主任）

山奥の村の良質な農産物を他地域に向けて販売することで、村民が豊かになり、消費者にも幸せを届けられる。私は「思いやりある新農民」になりたい。

——向黎黎（湖南省鳳凰県菖蒲塘村ネット通販業者）

年を取ることは怖くない。怖いのは気概がなくなることだ。しっかりと実績を残したい。

——陳沢申（安徽省金寨県大湾村村民）

暮らし向きのいい人はさらにいい暮らしを、それなりの人はワンランク上へと、貧困脱却と富裕化はますます確かな成果をあげつつある。

——左香雲（江西省井岡山市神山村村民）

以前は飲用水も人に頼っており、炊事でも水をあまり使わないようにしていた。今では水道が引かれ、水を使うのを気にする必要はない。

——王建生（甘粛省渭源県元古堆村村民）

（人民日報 二〇二一年二月二十五日より抜粋）

第一章 インフラ建設

——貧困地域に暮らしの土台を築く——

安全な水が飲めるようになった新疆の貧困層

新疆ウイグル自治区依排克其村にある伊米提・艾山さんの家で、伊米提さんは庭の水道の蛇口をひねり、石けんで手をきれいに洗った後、水を手ですくってそのまま飲み干し、こう言った。「この水は美味しい。そのまま飲める！」

二〇二〇年五月二十日から、伊米提さんを含むファイザバード県の一万五千三百人の貧困層が安心して水を飲めるようになり、ファイザバード県を含め、各民族四十七万人以上の飲用水問題が解決された。これにより、新疆のすべての貧困層の人々が安全な水を飲めるようになった。

伊米提さんはすでに八十歳になる。物心ついてから、その暮らしには常に「溜池」が欠かせなかった。至るところに作られた溜池には、出水期に水路の水や雪解け水、雨水が引き入れられ、人と家畜の水源となってきた。「遠いところだと二キロ以上、近いところでも一キロ近い距離があった。そこから水桶で水を汲んで家まで帰らなければなら

庭の水道で手を洗う伊米提・艾山さん
（撮影・李亜楠）

なかった」と伊米提さんは言う。

溜池の水は滞留水で、人も家畜も飲み、さまざまな物が浮かんでいるため、苦労して汲んできた水もすぐに飲むことはできず、まずはろ過して不純物を沈殿させせなければならない。水の色はまさに千変万化で、赤褐色のこともあれば、緑色になっていることもあった。

そんな水はどんな味がするのだろうか？　伊米提さんは眉根を寄せ、「苦いんだよ！　青々とした木の葉を噛んだ時のように苦い。それに飲むとお腹が痛くなる。でも腹痛を繰り返すうちに慣れてしまったよ」と言う。一九七四年、伊米提さんは溜池の水を飲みすぎて病気になってしまい、七十日以上も入院したこともあった。

不衛生な溜池の水を長年飲んでいたため、水系伝染病や風土病が頻繁に発生した。そんな溜池の水を、伊米提さんは五十七年間も飲んできた。ファイザバード県の都市・農村飲用水安全管理総合ステーション長の韓慧傑氏は、「これまで何年も連続で、自治区の疾病予防管理センターのスタッフがファイザバード県に駐在して活動を展開してきた」と話す。

一九九七年、隣の疏勒（ケシケル・イェンギシェヘル）県にある動力付きポンプ井戸七本から、伊米提さんの家まで水道管が引かれた。二〇〇五年頃、ファイザバード県でもポンプ井戸が三十本掘られ、県全域の人々が溜池の水と完全に別れを告げた。

しかし、地下から汲み上げた水道水を飲み始めて何年も経たないうちに、伊米提さんは水がしょっぱくなったことに気づいた。

これはいったいどういうわけだろうか?「地震ですよ!」と韓氏は説明する。ファイザバード県は南天山柯坪断層帯上に位置し、大小の地震が絶えない。一度地震が起こると、地下の水位に変化が生じ、水質も悪化する。ポンプ井戸を掘っても、二、三年ほど経つと水質がダメになってしまうのだ。

二〇一四年、中国はファイザバード県の飲用水の安全性に関する問題を国家重点民生プロジェクトに組み入れた。技術者は水を探してファイザバード県中を歩き回り、すべての可能な状況を検討した結果、最終的に他県から水を引くことを決定した。ムスタグアタ山の氷河の雪解け水が流れる盖孜川から取水し、八百九万立方メートルの砂沈殿池で沈殿させた後、総浄水場で処理し、三つの県を跨ぎ、千八百二十七キロを越える水道管を経由して、ファイザバード県の各世帯へと水道を引いた。

二〇一九年五月、取水、送水、給水の三つの部分から成るファイザバード県の都市・農村飲用水安全プロジェクトが正式に着工。投資総額は十七億四千九百万元（一元は約十五・九円）で、一日の処理能力が八万五千立方メートルに達する中央浄水場、新規建設または拡張建設した十七の浄水場を含むもので、国内で現時点において単体として投資規模が最大の飲用水安全プロジェクトとなった。

五月二十日、きれいで美味しい盖孜川の水が水道から流れ出た。各指標もすべて国家飲用水基準に達した。

「これは貧困脱却の難関攻略プロジェクトであり、民生プロジェクトでもある」と韓

2019年6月18日、新疆ウイグル自治区の自宅で、水道水を汲み喜びの笑みを浮かべる牧民の杜曼さん（写真右）と母親（撮影・梁宏涛、写真提供・人民図片）

氏は言う。韓氏によると、水質改善プロジェクトが終わった後、地下水を節約し、水源を涵養するため、県全域で灌漑や飲用水のポンプ井戸百四十本の使用を停止したという。

「十三五（第十三次五カ年計画）」の実施以来、新疆では農村飲用水安全プロジェクトを四百件以上実施し、すべての貧困層の飲用水の問題が解決され、南新疆では砂漠や辺鄙な高地、寒冷地にあり水道が引かれていなかった六十七の村全てに水道が通り、農村の水道普及率は九十パーセント以上に達し、全国平均を上回った。二〇〇五年と比べ、水系伝染病の発病率は八十パーセント低下した。

今では、伊米提さんの家では台所とトイレ、庭にそれぞれ一つ水道が引いてあり、蛇口をひねるだけで美味しい水を飲むことができるようになった。「生きているうちにこんなにきれいで美味しい水を飲めるようになるなんて、思ってもみなかったよ」と伊米提さんは笑顔で話した。

（李亜楠）

2019年6月18日、新疆ウイグル自治区廟爾溝郷の自宅で、使えるようになったばかりの水道水を味わう塔力哈爾さん（撮影・梁宏涛、写真提供・人民図片）

チベット自治区で送配電網を建設
貧困脱却へ「最後の一キロ」開通

「電気が来た、電気が来た！」。二〇二〇年六月十日午後二時二十六分、歓喜の声が上がる中、チベット自治区嘎美郷のチベット族の家々に灯がともった。それにより、ソク県のチベット族九百二十八世帯全てが安心して、安定した電気を使うことができるようになった。

貧困が深刻な地区において送配電網を建設することは、貧困の難関攻略をサポートするうえでカギとなる取り組みだ。国網浙江電力がチベット地区で、「標高が最も高く、エリアが最も広く、投じる資金が最も多く、自然条件が最も厳しく、施工条件が最も複雑」な送配電網建設プロジェクトを請け負い、ナクチュ供電公司を対象に、貧困が深刻な地区における送配電網の建設をペアリング支援した。

支援のミッションを請け負って以来、国網浙江電力はナクチュ供電公司と聯合業主プ

二〇二〇年四月に完成したナクチュ地区班戈（パングン）県の配送配電網（撮影・楊学君、写真提供・人民図片）

ロジェクト部を設立して、「一市が一県をサポートする」という支援スタイルを確立し、十一の地級市（省と県の中間にある行政単位）の営業所が管理者や技術者二百二十人を派遣して、十二のプロジェクトを実施し、十キロボルト以下の送電線三千九百十三・八二キロメートル、配電用変圧器千四十二台を新設、または取り替え、貧困人口約十万人以上、二万四千九百三十五世帯に益が及んだ。プロジェクトの投資額は十億三千万元（一元は約十五・九円）に達した。

国網嘉興供電公司はソク県を対象にペアリング支援し、その支援事業の総投資額は四千四百八十九万四千元に達した。そして、中・低圧の送電線百七十七キロメートルを新設、または取り替え、配電用変圧器五十五台を取り付けた。五月十八日、嘎美郷の巴次の配電

チベット自治区北部の無人地域で行われる送配電網の検査（撮影・次仁巴珠、写真提供・人民図片）

用変圧器エリアの取付工事が完了した。それにより、ソク県の五カ所の送電網新設主体工事が完了し、送電の準備が整った。

「電力メーターを設置して、電気が使えるようにしなければならないのはあと七十三世帯。今の施工ペースからすると、必ず前倒しで完成する！」。五月二十六日夜、国網嘉興供電公司のチベット自治区支援グループの責任者・鍾其氏の灯りがともった部屋からは、声高に話し合う声が時おり聞こえてきた。

数十日前、鍾氏は同僚十五人と共に、浙江省嘉興市からソク県へやって来た。到着した翌日、鍾氏はすぐに現地の事情に応じた管理の枠組みや業務メカニズムを制定した。新型コロナウイルスの影響で、物資や設備の到着が遅れたため、鍾氏が筆頭となって、毎日、電話やインターネットを活用してサプライヤーと連絡を取り、物資の生産、輸送の進捗状況をリアルタイムで追跡した。その後、物資の管理者がサプライヤーとの間に、「一対多」のリアルタイム連絡メカニズムを立ち上げた。四月十八日、ソク県のプロジェクト材料の供給率が、まず百パーセントに達して、その後の送電網設置プロジェクトがスムーズに進むよう物資の面の基礎が築かれた。

その他、嘉興市のチベット自治区支援担当者は、全過程で「前方は現地で支援＋後方は専門的な下支え提供」というメカニズムを採用し、支援を展開した。また、優位性のある経験と組み合わせて、実際の操作の解説、情報知識講座、操作規程の共同制定などを通して、支援対象の的を絞って研修を行った。

嘉興電力のチベット自治区支援担当者・何平氏は、「チベット自治区支援で最もカギとなるのは現地の電力業者の実際の操作知識、スキルを強化することで、現地の貧困グループが貧困を脱却するようサポートし、『支援の最後の一キロ』を開通させなければならない」と語る。

長年にわたり、チベット自治区支援者がバトンを引き継ぎ、順番に現地の電力会社の

チベット自治区ナクチュ市で「最後の一キロ」の送電施設を設置する電力会社の作業員（撮影・索朗多吉、写真提供・人民図片）

従業員を対象にした研修を実施して、施工の取り組み方、質の管理、安全管理、後方管理、資料整理などの面の経験をシェアし、ナクチュや林芝《ニンティ》地区の電力業務のレベルが大幅に向上した。チベット自治区支援者は、送配電網を基準化して生産ラインをチベットに導入するだけでなく、理論・技術の育成と現場指導を組み合わせて、現地の同業者が確実に送配電網の工場化技術をマスターすることができるようサポートしている。

送配電網の工場化技術の下支えの下、ナクチュの標高四千五百メートルの薩措村は、チベット主送配電網と連結し、全面的な電気供給が実現した。現在、高原作業の時間が大幅に短縮し、さらに多くの村が安定して電気を利用できるようになった。

（汪陽、楊佳慧）

生態環境の優位性は発展の優位性

取材で訪れた青海省では、高原の青い空に白い雲が浮かび、雪山と草原の景色に酔いしれた。いかにして生態環境を保護すると同時に貧困を脱却して豊かになり、産業と地方経済を発展させる道を見つけるかは複雑な課題であり、様々な点を考慮し、選択を行う必要がある。今、同地では、環境に配慮したグリーンな発展理念をガイドラインとし、太陽光発電や太陽熱利用、風力発電などクリーンエネルギーを大規模に発展させ、生産や生活で用いるエネルギーの問題を解決すると同時に、人々を所得増大へと導きながら、生態環境の改善を促進しており、発展と保護、貧困脱却と生態環境というウィンウィンを実現した。

生態環境保護と経済発展は矛盾し対立する関係ではなく、弁証法的には統一された関係にある。産業発展と生態環境保護がうまく相互作用するために重要な前提となるのは、自然の法則を尊重し、生態環境の優位性を十分に発揮した上で、高効率でクリーン、持

青海省玉樹三江源自然保護区の風景（撮影・韓加君、写真提供・人民図片）

続可能な資源エネルギー利用を実現することだ。

青海省は青蔵高原にあり、標高が高く、空気が薄く、年間を通して日照時間が長いといった特徴があり、太陽エネルギーや風力エネルギー、水力エネルギー資源が非常に豊富だ。こうした大自然の「贈り物」をしっかりと利用し、クリーンエネルギーを発展させれば、尽きることのない財産を生むことができる。

青海省チベット族自治州の緑色産業発展園は、太陽光発電所エリアの計画面積だけでも六百九平方キロメートルに及び、現在発電設備の総容量は七千メガワットに近い。園内で生産される電力は送電され、直接的な収益を上げている。園内には村の貧困者支援太陽光発電所も複数建設されており、収益の六十パーセントが村の集団経済発展に用いられ、四十パーセントが公益性雇用への給与支払いに充てられており、貧困者の地元での雇用を支援し、安定した貧困脱却を促進している。

青海省の優位性は生態環境であり、その発展の優位性も生態環境をよりどころとしている。エネルギーや鉱産物など再生不能な資源と比べ、青海省で潜在的な価値が最も高く、開発による利益が最も広範にわたる資源は、実のところ優れた生態環境資源となっている。青海省には雪山や草原、森林、湖沼、荒野、ゴビ砂漠など多くの景観があり、観光業を発展させる上で絶好の地域だ。

例えば、国道一〇九号線が通り、共茶高速道路の出口に位置する海南チベット族自治州共和県切扎村は、貧困者支援策で移住した人々が暮らす村

2020年8月11日、青海省共和県に新しく建設された倒淌河鎮哈乙亥村のチベット族集落を訪れた観光客（撮影・蒙鐘徳、写真提供・人民図片）

青海省三江源国家公園長江源園区で草を食むチベットのロバ（撮影・韓加君、写真提供・人民図片）

で、太陽光発電産業資金と観光による貧困者支援特別資金のおかげで、ホテルやレストラン、スーパーなどのインフラが建設され、美しい景色で観光業を発展させ、貧困を脱却して豊かになりつつある。

生態環境をよりどころとして発展してきたクリーン産業は、人々を幸せにする一方で、生態環境面での優位性を引き続き強化し、生態環境も改善した。共和県塔拉灘太陽光発電産業園内には、一面に設置された太陽光発電パネルの下に緑の草が生い茂り、羊の群れが太陽光発電パネルの下で悠然と草を食んでいる。かつて塔拉灘は一面の荒野で、風と砂ぼこりがひどく、土地の砂漠化が深刻なため、放牧をすることができなかった。しかし太陽光発電所が建設されてからは、敷設された太陽光発電パネルが風と日差しをある程度遮る

青海省烏蘭五十メガワット系統連系型太陽光発電所（撮影・丁海生、写真提供・人民図片）

ことができるようになり、草原の生態環境が効果的に回復した。多くの村民たちが太陽光発電園内で羊を放牧し、かなりの付加収益を得られるようになり、暮らし向きも良くなる兆しが出てきた。それと同時に、太陽光発電産業が大きく発展したことで、人々はクリーンな電気を使うことができるようになり、石炭や燃料油の燃焼による汚染物質排出が大幅に減少した。

他にも例を挙げると、三江源地区の中心エリアにある瑪多県では、以前は地元の人々はディーゼル発電に頼るしかなく、冬の暖房は石炭に頼らざるを得なかった。国家電網は瑪多県に四・四メガワット貧困者支援太陽光発電所を建設するよう積極的に推進し、現地政府はクリーンな電力による石炭代替を強力に推し進め、汚染物質排出量を低減。三江源には常に青空が広がり、清らかな水が流れるようになった。

こうした例から分かる通り、貧困脱却の難関攻略であれ、地方経済の発展であれ、決して生態環境を犠牲にすることを代価としてはならず、その土地に合わせて発展のための資源を総合的に開発し、産業発展と生態環境保護の両立に努めるべきだ。環境に配慮したグリーンな発展を目指し、豊かな自然を守りながら経済をさらに発展させることで、人々の獲得感を絶えず高めていくことができるに違いない。

（中少鉄）

公益「スロー列車」で貧困脱却を後押し

中国の高速鉄道の総延長が三万五千キロメートルを突破し、世界の高速鉄道全体に占める割合が三分の二以上になった。人々の移動がよりスムーズで便利になっている。しかしそれと同時に、全国の八十一組の往復列車は依然として従来のような鈍行列車で、乗車料金が安く、各駅停車し、過疎地の山間部を走っている。

四川省広元市と陝西省宝鶏市を結ぶ六〇六三／六〇六四号列車は、そんな公益「スロー列車」だ。その六十年以上にわたって、その存在を通じて村人を豊かにし、子供たちの通学手段となってきた。

早朝の広元駅の改札口で、多くの村人が籠を背負い、野菜籠を手に提げて、早くから列を作り改札が開くのを待っていた。背中の籠が空なのは列車で仕入れに行く人たち。籠をいっぱいにしているのは、市場に商品を売りに行く人たちだ。

山間部の農産品を都市部に向けて売るのは、貧困を脱却し豊かになるための重要な手段だ。李さん（女性）は四川省広元市の人で、陝西省の燕子砭鎮まで桃を仕入れに行く。

李さんは、「五百グラム一・三元（一元は約十五・九円）で仕入れた桃が、広元に戻ると五百グラム二元で売れる。この列車が走るようになってから、小さな商売をして家の出費を賄うことができるようになり、生活もだんだん楽になった」と笑顔で語る。

　王さん（男性）は、自立できるのはすべてこの列車のおかげと誇らしそうに話す。王さんは、「広元から燕子砭までの乗車料金はたったの四元。おかげで一気に利益が出るようになった。この列車が廃止にならなかったのは貧困支援のため。私たちのことを気遣ってくれる鉄道は素晴らしい」と笑顔で語る。

　貧困地区の児童に良好な教育を受けさせることも、貧困支援開発の重要任務だ。ある車両の中を見渡すと、通学する児童と保護者ばかりだった。乗務員の任斌さんは、「十一駅の周辺に二十四校がある。これは沿線

公益「スロー列車」で、家で育てた鶏を入れた籠を背負い売りに行く女性（撮影・万部愉、写真提供・人民図片）

公益「スロー列車」で帰宅中、宿題に取り組む児童ら（撮影・黒興友、写真提供・人民図片）

の児童向けの通学車両だ」と説明した。
友人同士の劉森さん、王義博さん、馬文豪さんは、陝西省略陽県白水江鎮に住んでおり、県都の嘉陵小学校に通っている。馬さんの祖母によると、同郷であり寮のルームメイトでもある三人は、毎週一緒に乗車して学校に行き、また一緒に列車に乗って帰宅している。家事が忙しい時には、馬さんの祖母も多くの保護者と同じように、子供たちを乗務員に任せるのだという。
こうして、日々走り続ける「庶民の列車」は沿線の村人に希望のある日々をもたらし、また「人民のための人民鉄道」という変わらぬ約束を守り続けている。車掌の劉連瑞さんは近年、村人たちの暮らしが着々と改善されるのを目にしてきた。
「まずは着ている服が良くなった。特に冬、村人たちはみな厚手のいいものを着られるようになった。次

四川省広元市と陝西省宝鶏市の間の秦嶺山区の村々を結んで走る宝成鉄道（撮影・唐振江、写真提供・人民図片）

に、多くの村人がスマートフォンを使い、微信支付（WeChatペイ）を使っている。さらに、居住条件が以前より大幅に改善された」と言いながら、劉さんは窓の外を指さした。

燕子砭駅を過ぎると、山に囲まれた小さな盆地が増える。近くには緑が生い茂る畑があり、遠くには真っ白に塗られた二階建ての農家が並ぶ。どの家の赤い屋根の上にも、太陽熱温水器が設置されている。そしてどの家の前にもコンクリートの道路が敷かれている。

六〇六三／六〇六四号列車は線路をゆっくりと走る。貧困脱却の難関攻略の道のりを、列車は村人を一人も置き去りにすることなく乗せて、前進していく。

（厳氷、朱春宇）

貧困脱却を実現するためには道路整備が先決

暮らしを豊かにするためには、まず道を作らなければならない。貧困脱却の難関を攻略するためにも、交通を整備しなければならない。近年、中国の農村における道路の様子は大きく変化し、アクセスが非常に便利になっている。そして、多くの農村が道路整備されたことで振興し、美しくなっている。最近、交通を整備することで貧困者支援を行う幹部や代表五人が、貧困者支援における実際の経験を語ってくれた。

チベット自治区支援幹部を務める同自治区交通運輸庁の徐文強庁長は取材に対して、「第十三次五カ年計画（二〇一六～二〇二〇年）期間中、チベットでは交通運輸固定資産へ二千五百十五億元（一元は約十五・九円）以上が投じられ、第十二次五カ年計画（二〇一一～一五年）の終盤に、わずか三十八キロだったチベットの高速道路は現在、六百二十キロにまで達している。第十三次五カ年計画中に建設が始まったプロジェクトが完成すると、その長さは千百キロを突破する見込み。二〇一九年末の時点で、自治区全域

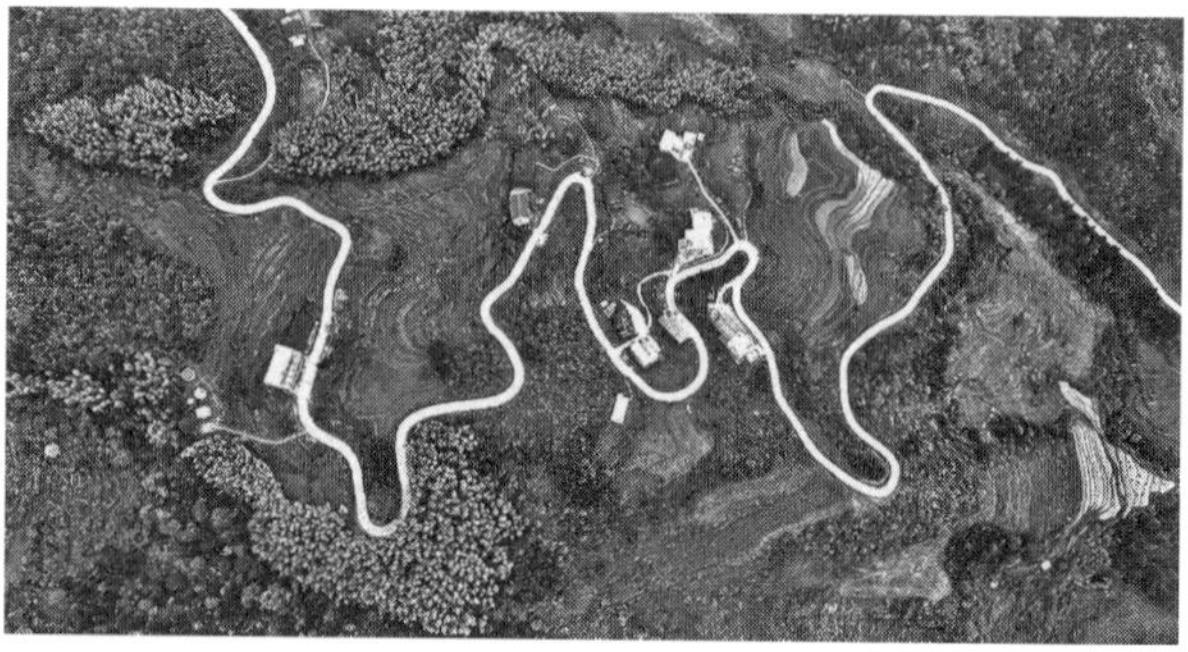

江西省永豊県上溪郷の山・村を走る道路。永豊県は、交通整備による貧困者支援を通して農村の振興をバックアップしている。ここ5年で、農村の一般道の建設に20億元が投じられ、道路2400キロが建設、県建制村での開通率は100%に達した（撮影・劉浩軍・曹孝平、写真提供・人民図片）

の一般道の長さは十万四千五百キロに達した。二〇二〇年末の時点で、自治区全域で条件を満たす郷・鎮、建制村（省市級国家機関による承認を経て設置された村）の全てに道路が通り、九十五パーセントの郷・鎮、七十五パーセントの建制村にアスファルトの道路が通る。今後、チベットを訪れる観光客や地元の人々はより安全でスムーズ、便利な道路を利用できるようになる」と力強く語った。

また以前、江西省贛州市安遠県の交通運輸部（省）の臨時幹部を務めていた羅洪波氏によると、『安遠県は遠いのか、近いのか？』という問いの答えは、二〇一二年より以前なら、『とても遠い』だった。同県中心部から贛州市まで二百キロもない距離であるものの、当時は往復に一日かかっていた。近年は、同県には高速道路がないという状況が打破され、北は同省の南昌市、南は広東省、東は福建省、西は湖南省と繋がる高速道路ができた」とし、アクセスが便利になったことにより起きた変化について、「企業が増え、多くの青壮年の労働者が地元で就職できるようになった。また、物流コストが安くなり、通行条件が良くなったため、EC（電子商取引）や観光産業が発展した。二〇一九年、同県のECの売上高は二十億元に上り、EC貧困者支援産業が八十パーセントの郷・鎮、三十二パーセントの貧困農民をカバーし、三分の一以上の郷・鎮で観光業が発展して、同年に訪れた観光者数は四百八十万人に上った」と説明した。

四川省と青海省の境界にある四川省カンゼ・チベット族自治州色達県は中国全土の百八十九の深刻な貧困県の一つ。平均標高は四千百二十七メートルで、以前は閉塞的な環境だった。交通運輸部の幹部・桂志敬氏は、道路整備が進んでいることを身をもって感じており、「四年間の定点貧困者支援を通して、当県の一般道路の長さは二千二百六十キロに上り、十七郷・鎮、百三十四行政村のアスファルトの道路開通率が百パーセント、農村に通じるバスの開通率が百パーセントに達した。二〇二〇年二月、当県は正式に貧

2019年12月4日に撮影した建恩高速道路。同高速道路は、中国国務院の貧困者支援重点プロジェクトで、湖北省恩施トゥチャ族ミャオ族自治州恩施市と建始県を繋いでいる。主線の全長は70.52キロで、総建設費は84億元に達した（撮影・楊順丕、写真提供・人民図片）

2019年5月6日、上空から撮影した四川省南江県燕山郷玉螺村の中を走る道路。各世帯までコンクリート道路が達していることが分かる（撮影・肖定懐、写真提供・人民図片）

2019年11月17日、空から見た四川省眉山市丹棱県万年村の山中を走る「七曲り道」。2017年に建設されたこの道路の全長は34キロで、省指定の貧困村4村、市級の貧困村5村が繋がっている（撮影・張忠苹、写真提供・人民図片）

困県リストから外れた」と説明する。近年、色達県の投資誘致の規模も急速に拡大しており、二〇一九年には一億三千万元に達し、ホテルは五十四軒から百五十軒以上に増えた。「道路が整備されれば、さまざまな業界が発展する。色達の県民には、もっと豊かな暮らしが待っていると信じている」と桂氏。

アバ・チベット族羌《チャン》族自治州黒水県芦花鎮熱拉村の元第一書記である交通運輸部の幹部・呂怡達氏は、「交通運輸環境が継続的に整備され、人気と財力が高まり、産業発展の強固な基礎ができた」とし、「熱拉村では以前、晴れの日は服が土だらけになり、雨の日は泥だらけになっていた。生産、生活、親戚・友人訪問などはどれも不便だった。交通整備による貧困者支援により、村に六・九キロの道路ができ、外出する時はアスファルトの道を歩き、バスに乗る生活ができるようになった」と、交通整備による貧困者支援の成果を感慨深く語る。そして、「二〇一八年、村は食品会社を立ち上げ、ヤクの肉や蜂蜜などの特産品を販売するようになった。同社の二〇一九年の売上高は二百六十万元に達した。『頑張って働けば豊かになることができる』という村の人々の確信も強くなった」と話す。

湖北省恩施土家《トウチャ》族苗《ミャオ》族自治州建始県店子坪村の王光国党支部書記は、「以前、当村の村民は近くの高坪鎮の市へ行っていた。両側が断崖絶壁の細い道を通って、山や嶺を超えなければならず、往復に二、三時間かかっていた」と振り返り、「近年、村の整備されていない土道や砂利道が、コンクリート道路、アスファルト道路になり、そのような道路が各世帯の前まで通るようになった。以前、主にジャガイモ、トウモロコシ、大豆を栽培していたが、今は果物を栽培するようになった。また、小さなトウガラシ工場ができて、商品を輸出するようになった。道路が通ったことで、産業が発展し、村の人々の暮らしが豊かになった」と語る。

（劉志強）

安定した暮らしと仕事でより幸せな生活を

コンロの上に置かれたポットからは湯気が立ち上り、部屋中にミルクティーの香りが漂い始める。すると、吾熱孜汗・阿不都熱阿合曼さんは、立ち上がって台所に行き、ポットを手に戻ってきた。そして、白いコップにミルクティーを入れてくれた。隣の部屋では彼女の息子が、宿題をしていた。二〇一六年七月まで、彼女の家族八人は、新疆ウイグル自治区青河県の六十平方メートルほどしかない土壁の家に肩を寄せ合うように住み、家畜を放牧する暮らしをしていた。「雨や雪が降ると雨漏りがして、強風が吹くと隙間風がすごかった」という。

貧困者を立地条件の良い場所へ移転させる支援措置計画が実施され、吾熱孜汗さんらには希望の光が見えるようになった。約八百五十世帯の農牧民約三千三百人が、集中移転先に転居。吾熱孜汗さん一家も和平コミュニティに転居した。

「転居」は第一歩で、その後、そこで安定した生活を送り、富を築けるようにしなけ

二〇二〇年九月二十日、新疆ウイグル自治区阿克陶（アクト）県の貧困世帯集中移転先・絲路佳苑で、他の移転者と一緒にアコーディオンを演奏したり、ダンスをしたりして楽しく暮らす県文芸工作団のメンバー・都斯巴依さん（撮影・祝振強、写真提供・人民図片）

ればならない。貧困者が立地条件の良い場所へ移転し、生活条件を改善できるようサポートすると当時に、移転先の地域が積極的に企業を呼び込み、村民が家の近くで仕事を見つけることができる環境づくりをしている。吾熱孜汗さんは、村にある幼稚園で保育員をしており、夫も近くで仕事をしている。それに、土地使用権の譲渡費用を加えると、年間世帯収入は約六万六千元（一元は約十五・九五円）になる。

発展は国民のためで、発展には国民の力が必要であり、そして発展の成果は国民に共有されるべきだ。二〇一四年から二〇一九年までの五年間、新疆ウイグル自治区では、都市部保障性居住プロジェクトが実施され、貧困者登録されている六十七万五千六百世帯の「安全な住宅」をめぐる問題を解決し、農村の貧困者が倒壊などの恐れがある危険な住宅に住んでいたという歴史が幕を閉じた。

同自治区の博爾塔拉《ボルタラ》モンゴル自治州精河県托里鎮烏蘭旦達蓋村に行くと整然と並ぶ住宅と真っ直ぐな道が目に飛び込んでくる。砂漠が近くにあるものの、約五十六・七ヘクタールの防風林が風や飛砂の被害から守り、村には活気が満ちている。村の中にある広場には様々なトレーニング器具が並び、村民がそこでのんびりと過ごしたり、子供たちが楽しそうに遊んだりしていた。以前は家屋が倒壊し、ぬかるみだらけの場所だったとは想像もできない。

二〇一七年八月九日、精河県で地震が発生し、震源地に近かった烏蘭旦達蓋村は大きな被害を受けた。巴特道爾基・村第一書記は、「地震発生後、幹部らが一

二〇二〇年九月十九日、新疆ウイグル自治区英吉沙（イェンギサール）県芒辛（マンシン）鎮のビニールハウスで笑顔を浮かべながら唐辛子を収穫する農民（撮影・祝振強、写真提供・人民図片）

致団結し、八十日もしないうちに、二百十軒、合わせて一万六千八百平方メートルの家屋再建が完了した」と話す。

村民の吉・乃徳曼さんの自宅も再建された。新居の前の庭には野菜やブドウが植えられ、裏庭には果物の木が植えられていた。リビング二つ、寝室が三部屋ある新居のトイレは水洗式で、お風呂には給湯器も付いており、必要なものが全て揃っていた。「新居に住むことができたが、これからも頑張って働かなければならない」と話す吉・乃徳曼さんは、約三・三ヘクタールの畑で綿花を栽培し、五万元以上の純収入がある。そのほかにも羊を三十匹飼育して、一万五千元の収入を得ている。

子供を幼稚園に送って帰ってきた図木舒克市の伊力亜斯・阿布来提さんは近所の人二人と共に、靴下編機が置かれているリビングに向かった。靴下編機は、同市工業パークの靴下メーカーが無償で提供したもので、メーカーは半製品を家まで運んでくれ、伊力亜斯さんらは自宅にいながら、お金を稼ぐことができている。

楽しく仕事ができてこそ、落ち着いて暮らすことができる。伊力亜斯さんの家は集中移転先エリアにあり、同エリアには住宅四十九軒が道沿いに整然と並んでいる。各家には庭と家庭菜園がある。現地政府のサポートを利用して、彼女はリビングを「作業場」に改築した。「住み心地はいいし、仕事もある。機械一台で三人の雇用が創出できる」と伊力亜斯さん。

和田地区皮山農場のイチジク栽培拠点では、イチジクの実がたくさんなり、収穫を待っていた。そして、ビニールハウスの中では、貧困世帯の海日古麗・麦麦提さんと同僚が、忙しそうに働いていた。彼女らはパック詰めを担当しており、月収は約二千五百元だ。そして、「スキルを磨き続けないと、仕事を確保し、より良い暮らしを送ることはできない。今後は、技術者に果樹の栽培方法を学び、技術者になりたい」と話した。

二〇二〇年九月十七日、新疆ウイグル自治区昌吉回族自治州呼図壁（フトビ）県五工台鎮の幸福村唐墩果園でブドウを収穫する女性（撮影・陶維明、写真提供・人民図片）

中国の奇跡が人類貧困撲滅の歴史上に

第十三次五カ年計画期間、中国はターゲットを絞った貧困脱却策の実施に力を入れ、さらに多くの力を投じ、よりターゲットを絞った措置を講じた。二〇一五年から二〇一九年にかけて、全国では登録貧困人口は五千五百七十五万人から五百五十一万人にまで減り、貧困県の数は減り続け、貧困発生率は五・七パーセントから〇・六パーセントにまで減り、貧困脱却の難関攻略は決定的成果を得た。二〇二〇年には現行基準下で農村の貧困人口は全て貧困を脱却し、貧困県は全て解消し、悠久の昔から中華民族を悩ませてきた絶対的貧困の問題に歴史的終止符が打たれた。人類の貧困脱却の歴史上に中国の奇跡を打ち立てた。

五年の間に貧困者支援幹部が次々と村に入り、各家庭を訪れ、ターゲットを絞った貧困者支援の最後の道を切り開いた。中央政府は貧困者支援予算を年平均二十パーセント以上増額し、政策措置の一つ一つによって大きな課題を解決した。二〇一五年から二〇一九年にかけて、中国は貧困人口を毎年千百万人以上減らして、貧困脱却の新基準施行後に貧困削減人数が年々減るというかつての傾向を一新した。

第十三次五カ年計画期間、貧しい大衆の所得水準は大幅に高まり、「三保障」（義務教育と基本医療、住宅の安全の保障）における大きな問題は全体として解決された。統計では、全国の登録貧困人口のうち九十パーセント以上が産業と雇用による貧困者支援を受け、三分の二以上が主に出稼ぎや産業によって貧困を脱却し、自力で貧困を脱却する能力を着実に高めた。二〇一五年から二〇一九年にかけて、全国の貧困地区農民の一人あたり可処分所得の伸び率は全国平均を上回り、登録貧困世帯の一人あたり純収入の伸び率は年平均三十・二パーセントに達した。

七月十三日、浙江省湖州市徳清県莫干山鎮後塢村の陸禹蘭さん宅の改築。建材を担いで家へ運ぶ労働者（撮影・姚海翔、写真提供・人民図片）

第十三次五カ年計画期間、貧困地区の基本的公共サービスの水準は著しく高まり、貧しい人々の基本的医療、義務教育、住宅の安全が保障された。村々に診察室が設けられ、不備のある義務教育学校十万八千校の運営環境が改善され、貧困者支援のための移転住宅建設が全て完了し、貧困人口九百六十万人以上の住環境が改善された。条件を備えた建制村の全てに舗装道路が敷設され、農村送電網の電力供給は九十九パーセントに達し、貧困が深刻な地区の貧困村のブロードバンド普及率は九十八パーセントに達し、移動、電力使用、通信などにおいて貧困地区の大衆が抱えてきた長年の問題が一様に解決された。

中国の貧困削減策と貧困削減の成果を国際社会は一様に認め、高く評価している。国連のグテーレス事務

二〇二〇年九月二十四日、河北省遵化市東旧砦鎮東旧砦村で秋桃を収穫する農民（撮影・劉満倉、写真提供・人民図片）

総長は「ターゲットを絞った貧困者支援策は貧困人口を助け、『持続可能な開発のための二〇三〇アジェンダ』の定めた壮大な目標を達成する唯一の道だ。中国のノウハウは他の途上国にとって有益な参考となりうる」と指摘した。

（顧仲陽、常欽）

「断崖村」が歩んだ貧困脱却への道

四川省涼山彝《イ》族自治州の西昌市から昭覚県へと続くつづら折れの山道を進むと、風力発電用のプロペラを積んだトレーラーがゆっくりと走っていた。長さ四十メートル以上のプロペラの片側は液圧プレスに固定され、もう片側は空に向いていた。誘導車に誘導されながら、山から突き出る障害物や樹木を、プロペラが次々と巧みにかわしていく様子は圧巻だった。

イ族の運転手・阿布さんはこうした状況にはすでに慣れっこだ。近年、山は高く道は険しいことで知られる大涼山地区に、水道や電気、道路、インターネットなどが少しずつ通るようになり、目を見張るような圧巻のプロジェクトを、涼山地区の各地で見ることができる。そして、多くの人にとって以前なら想像もできなかったような施設が、貧困を脱却した今では、すでに日々の暮らしに不可欠なものになっている。

今回の取材の目的地である昭覚県阿土列爾《アトゥラール》村もその典型的な例だ。つるや木で作られたはしごから鉄パイプ製のはしご、そして「階段のある団地」へと、村民たちは険しい貧困脱却の道を歩んできた。

アトゥラール村では、「ここの山道は険しいものの、気候が良く、盗賊の襲撃や騒乱などに巻き込まれることもなく、住みついて農牧業をするのにも適しているのを発見した先祖が移り住み、隔絶された環境で自給自足の生活をしてきた」と、六、七世代にわたって語り継がれてきた。

しかし、先祖の目には、自然豊かな山に囲まれ浮き世を離れた「桃源郷」に見えたこの地の特徴は、今は時代が変わり、村民にとっては素晴らしい生活実現を阻む障害となっていた。同村と山の下の標高差は約八百メートルもあるため、「断崖村」と呼ばれてきた。

急な山の斜面に作られた畑で農作物を作ったり、家畜を育てたりして暮らしてきた「断崖村」の村民は何世代にもわたり孤立した環境で生活してきた（撮影・饒国君、写真提供・人民図片）

この「断崖村」を出るためには、以前は湿っていて滑りやすいつるや木で作られたはしごを使わなければならなかった。そして、公道やインターネットもなければ、電気の供給すら不安定だった。村民たちはそこで土壁の家に住み、自給自足の生活を送っていた。山の下の物資を村まで運ぶことも、山の上の村民が下りてくることも難しい状況だったからだ。

二〇一七年の全国人民代表大会および全国人民政治協商会議の会期中、習近平国家主席は四川代表団審議に参加した際、「断崖村」に鉄パイプで階段を新しく作るというプロジェクトに特に関心を示した。鉄パイプを溶接して作るこの階段は、計二千五百五十六段で、長さ二・八キロ、幅一・五メートル。頑丈に溶接して組み合わされた鉄パイプ製の階段が、ほぼ垂直の岩肌をつたい、しっかりと固定されている。

2018年5月5日に撮影された「断崖村」まで上るために以前使用されていた岩肌にぶら下がる木製のはしご（撮影・老兵、写真提供・人民図片）

岩肌に沿って建設された鉄パイプ製の階段。完成後、村民の上り下りは便利で安全になり、「断崖村」にも電気、インターネットが通った（撮影・饒国君、写真提供・人民図片）

鉄パイプの階段で繋がったことで、山の上り下りは以前に比べるとかなり楽になった。それから一年も経たない間に、アトゥラール村には電気、インターネットが通り、4Gの電波も届くようになって、社会との関わりも強くなった。そして、「鉄パイプ製の階段」を体験し、断崖絶壁の上にある村に行ってみたいという観光客が集まるようになって、観光業の収入が急増した。二〇一九年、「断崖村」を訪れた観光客は延べ十万人で、村民に約百万元（一元は約十五・九円）の収入をもたらした。

二〇二〇年五月、「断崖村」の貧困世帯八十四世帯は、貧困者支援のために建設された住居に移転し、「階段のある団地」に住むようになった。村民らの移住は海外メディアの注目も集め、米CNNの記事は、

二〇一八年五月五日に撮影。鉄パイプ製の階段を上って断崖村に帰る村民（撮影・老兵、写真提供・人民図片）

「村民の雲と霧の中での生活は幕を閉じた」と伝えた。

新しい居住地となった昭覚県の中心地に近い場所にある南坪コミュニティは清潔で整然としていて、家も広々としていて明るい。そして、定期的に、文化活動やスポーツ活動が企画され、皆が楽しく暮らしている。その近くには幼稚園や学校、病院などの公共サービス施設もある。放課後、子供たちはつるや木で作られたはしごを登って家に帰る必要はなく、コミュニティの施設で友達と楽しく遊ぶことができる。

涼山地区のあるネットユーザーは、「高い所は怖くなく、よじ登ることが得意というのが、以前の涼山地区のイ族自慢の得意技だった。今、昭覚県内に住む子供たちは、その『得意技』を受け継ぐ必要はなくなったけど、もっと楽しく暮らしている」と綴っている。

涼山地区のイ族のもう一つの「得意技」は、「おもてなし」で、歌を歌ったり、踊ったりするのも好きだ。イ族の人たちは、生まれつきガイドとして、観光客をもてなすのに向いているのだ。「断崖村」の村民の多くが転居したものの、約三十世帯は村に残り、観光プロジェクトの開発に参加している。今後、「断崖村」には、ロープウェイや「断崖民宿」などが建設され、ここでしか味わうことのできない観光体験が提供されるようになる計画だ。そして、そこは中国の貧困脱却のための取り組みの成果を展示する「博物館」となるだろう。「断崖村」がさらに開発されるにつれて、さらに多くの村民が観光を頼りに生計を立てることができるようになるだろう。

二〇一八年一月、「断崖村文化観光プロジェクト」が始動した。子供たちは保護者が見守る中、鉄パイプ製の階段を上ると、安全であるだけでなく、度胸を鍛えることができる（撮影・饒国君、写真提供・人民図片）

二〇二〇年九月十二日、移転先となった四川省涼山州の新居で、家族と一緒にテレビを見る村民・阿約火日さん（撮影・邱海鷹、写真提供・人民図片）

それ以外にもバラエティーに富む支援政策のサポートの下、村民らは、標準中国語である「普通話」や新しいスキルを学んで、涼山地区のインフラ建設やサービス、貧困者支援産業などに参加できるようになっている。隔絶された環境の農業経済が幕を下ろし、「一歩進んで、千年タイムスリップ」するような変化を経験し、高齢者もケアされ、若者には仕事があり、子供もきちんと教育を受けることのできる現代のライフスタイルに少しずつ溶け込んでいる。

貧困脱却のための取り組みが実施され、以前は孤立していた「断崖村」に各地から観光客が訪れるようになって賑やかになり、その独特の魅力で新たな未来を切り開いている。

（程是頡）

第二章

産業振興

——新たなビジネスの原動力——

中国の果物農家の生活はますます幸せに
日本のリンゴ栽培専門家塩崎三郎氏を訪ねて

「中国の農民の生活が良くなるのを目の当たりにすることは大変幸運です」。八十二歳になる日本のリンゴ栽培の専門家、塩崎三郎氏は最近のインタビューで中国の農民の生活に大きな変化が起こったと語った。

一九六〇年代から塩崎三郎氏は富士りんごの育種に参加し始め、その後富士りんごの栽培を積極的に推進した。塩崎氏は、公益財団日本シルバーボランティアズの主要会員として二十年以上にわたり中国と協力してリンゴの栽培を行っており、中国の多くの農村部を百十回以上も訪れ、地元の農家にリンゴの栽培技術の向上を指導してきた。二〇一三年、彼の尽力と成果を中国政府に認められ、外国人に与える最高級の栄誉である「中国国家友誼賞」を受賞した。

一九九七年四月、塩崎氏は初めて中国に来て、果物農家を指導するために河南省の蘭考県に行った。当時、蘭考県の農民の生活は比較的貧しかった。二〇一七年、塩崎氏は、蘭考県の生活が豊かになり、貧しい県という汚名を返上したことを知って、とてもうれしく思ったという。「写真を見て、地元の農家は、何十年も住んでいた日干し煉瓦の家に別れを告げ、一戸建てに住み、幸せな生活を送っていました。機会があれば、蘭考県に戻ってみてみたいと思います」

その年の八月、塩崎氏は再度招かれて山東省の農村でリンゴ栽培の指導をした。一つの村で一年間に二十ヘクタールの果樹園を建設し、約一万四千本のリンゴの木を植え、灌漑装置を建設した。その過程では、大変なこともあったが、村人たちは気を入れて頑張ったので、地元の果物産業は発展を続け、村人の生活水準は向上し続けている。「みんなの手でより良い生活を作ろうという熱意に感動しました」。塩崎氏は、中国の農民は勤勉で意欲的だと語っている。「今、中国で

二〇一七年二月、陝西省西安市でリンゴ剪定の指導をする塩崎三郎氏（写真提供・塩崎三郎氏）

生産されるリンゴの品質は、サイズと味の両方とも大幅に改善されており、世界で高いレベルにあります」

塩崎氏は、中国の多くの農村部に広くて平らな道路、きれいな環境、そして美しい景色を見ることができるようになり、義務教育、基礎医療、住居条件も保証されていると語った。「二十年以上前に比べ、中国の農村部が大変大きな変化を遂げ、非常にうれしく思います」

塩崎氏は、中国共産党と中国政府があらゆる方面から有効な対策を講じて、中国の特色ある貧困脱却難関攻略政策を確立したことが、中国の貧困脱却難関攻略の歴史的な勝利の重要な理由であると言った。

中国の地域の状況に応じた産業の発展対策は非常に効果的だと塩崎氏は考えた。中国各地の気候の種類や生態学的条件は異なり、各分野の専門家が綿密な調査を行い、地域の特徴に合わせた産業を積極的に開発し、「中国の農村部の生活水準は、ゴマの花が咲いて節が伸びるように、中国の果物農家の生活水準が高くなり、生活がますます良くなっている」と述べた。これからもお元気に民間外交官として、栽培指導による国際交流に励まれることを願っている。

（劉軍国）

浙江省が貧困県三十四村に白茶の苗を寄贈、貧困脱却へ

アスファルト舗装されたばかりの道がカーブしながら山頂まで続いている。そして標高約七百メートルの山頂に着き、見下ろすと、三十~四十センチの高さの茶の木がきれいに並んでおり、その中で作業員約二十人がやわらかい茶葉を摘み、それを背中のカゴに入れている。これは、春の終わりごろになると、湖南省古丈県の人里離れたこの地で目にすることのできる景色である。以前は荒れ果てていた山には今では、美しい緑の景色が広がっている。

四川省の青川県や貴州省の普安県、沿河県でも、春になると同じような茶園の景色を見ることができる。その茶の木一本一本は、浙江省安吉県黄杜村との絆の証だ。

ここ数年、黄杜村は古丈県など貧困県四県の貧困村三十四村に白茶「白葉一号」の苗千九百万株を寄贈し、約三百五十八ヘクタールに植えられてきた。そして、寄贈を受けた地域の貧困者登録されている人の所得が増え、貧困を脱却できるようにサポートして

湖南省湘西土家（トゥチャ）族苗族自治州翁草村には約百八十世帯、約八百人が暮らし、伝統農業を行う苗族の典型的な集落となっている。画像は茶摘みの季節を迎えた苗族の集落（撮影・陳碧生、写真提供・人民図片）

きた。

白茶は、降雨量や積算温度、土質、標高などに一定の条件が必要であり、本当の意味で貧困支援の効果を発揮するためには、それを寄贈する地域を厳選しなければならない。二〇一八年六月、中国農業科学院茶葉研究所や浙江省茶葉集団などの技術者は中国中・西部地域を訪問して、数万キロの旅をし、最終的に白茶の寄贈先として三省四県の貧困村三十四村を選んだ。

二〇一八年十月、黄杜村の茶農家が寄贈した茶の木の苗が続々と三十四村へと届けられた。青坪村の党組織村党支部の王永明書記は、茶の木の苗が届いた日、村は春節（旧正月）の時のような盛り上がりとなったことをはっきりと覚えているという。第一陣として百万株の白茶の木の苗が積み込まれた大型冷蔵車三台が止まると、村の人数百人が、すぐにそれを降ろし、時を移さずして植えたという。

もう一つの寄贈先である翁草村もこの機会を非常に大切にしている。翁草村の欧三任第一書記は、「村の茶の木を植えた全ての農家を対象に技術研修を行い、トウモロコシの栽培に慣れた村民に茶の木の苗を植える方法を学んでもらった。茶葉産業は多くの貧困者に職を提供した」と話す。

古丈県で植えられた茶の木の苗は何度も自然災害に見舞われてきた。二〇一八年の冬、南方エリアでは珍しい大雪が降り、一部の茶の木の苗が冷害に見舞われた。そして、二〇一九年春に植え直された茶の木の苗は、今度は七月に連日の大雨に見舞われた。欧三任第一書記は、「安吉県の技術者がすぐに来てくれた。そして、村民が茶園を整え直すことができるようサポートしてくれた。二回の自然災害で、合わせて三十万株以上の茶の木の苗を植え直した」と説明する。

安吉県は、寄贈を受けた村へとアフターフォローや技術指導を継続的に強化している。そして、ここ二年で、技術者を四十二回に分けて延べ二百七十五人派遣してきた。各関係者が心を込めて世話しているおかげで、遠い地から送られた茶の木の苗がしっかりと根付くようになっている。

翁草村の村民・龍星美さん（四十歳）は、青々とした茶の木の苗を見て、笑みを浮かべる。夫は出稼ぎに出ており、龍さんは、子供だけでなく、寝たきりの兄、七十歳を過ぎた母親の世話もしなければならず、翁草村の深刻な貧困世帯だった。

しかし、茶の木の苗が寄贈されて、龍さん一家は転機を迎える。山の畑を全て茶葉合作社に貸すことで、年間三千六百元（一元は約十五・六円）の収入を得ることができる。また、母親はまだ働けるため、普段は合作社でアルバイトをし、年間約八千元の収入を得ている。「少しある茶園も、株式に参入しているので、今年は必ず貧困を脱却できる」と龍さん。

普安県地瓜鎮屯上村の談化愛さん（四十五歳）は、茶園に足を運ぶのが大好きだ。二〇二〇年三月、談さん一家は貧困を脱却した。普安県の約百三十三ヘクタールの白茶は貧困世帯八百六十二世帯二千五百七十七人をカバーし、一世帯当たり四千六百五十九元の増収を得た。

しかも、白茶をめぐるサクセスストーリーはこれで終わりではない。

三月十二日、安吉元豊茶葉機械有限公司が寄贈した白茶の製茶設備三十一台の設置が完了した。沿河雲霧生態茶葉農民専業合作社の責任者・張勇さんによると、「これら設備を使うと、一日で三百五十キロの乾燥茶を生産することができ、生産効率が大幅に向上しただけでなく、品質もいい。加工済みの茶葉は全て浙江省の茶葉企業に引き渡すため、販売ルートを心配する必要はない」という。

寄贈の協議書に調印する際、浙江省側は寄贈先の白茶の製茶や販売のルートを考慮していた。そして、黄杜村と浙江茶葉集団は事前にマッチングし、村で生産された全ての茶葉の販売を同集団が担当することにし、「携茶」という商標登録も済ませた。

持続可能な産業貧困支援ルートを模索し、貧困支援

二〇一八年十月二十二日、貴州省黔西南布依（プイ）族苗族自治州普安県に、浙江省安吉県黄杜村が寄贈した「白葉一号」の苗が届いた。画像は荒れた山に茶の木の苗を植える村民ら（撮影・劉朝富、写真提供・人民図片）

として安吉県で栽培されるようになった茶葉のけん引力が今強化されている。現時点で、普安県の白茶の新規栽培面積は約七百十七ヘクタールに達し、白茶、紅茶、緑茶を融合させた発展の道を歩み始めている。沿河県の白茶の新規栽培面積は約三百三十五ヘクタールで、茶葉産業が現地の貧困脱却の難関を攻略するための主導産業になるよう、全力で取り組んでいる。

欧三任第一書記によると、翁草村は現在、山や川、田畑などの大自然、苗《ミャオ》族文化など各種資源を統合し、茶葉の生産などをめぐる旅と融合させるための取り組みに力を入れている。「二〇一九年の夏休み期間中、同村を訪れた観光客は延べ四千人で、人気が高まっている」としている。

（万秀斌）

特色ある栽培業で貧困世帯の雇用を促進

「栽培基地のオアオレンジの花が咲いた。今年は収穫ができそうだ！」そう喜ぶ李義華さんは、雲南省怒江州瀘水市色徳村のオアオレンジ栽培基地で果樹園の管理を専門に担当している。李さんはこの仕事で、一カ月に三千五百元（一元は約十五・七円）の収入を得ている。

二〇一八年、村駐在活動隊員の趙慶剛さんが色徳村にオアオレンジ栽培基地を作ることを提案した時、多くの村民は否定的だった。なかでも李さんはまず始めに自分の土地を提供して資本参加することを拒否した。

李さん自身には心配する理由があった。李さんは村駐在活動隊員に向かって、「トウモロコシからオアオレンジの栽培に切り替えた場合、少なくとも最初の二年は収穫がない。うちは七人家族で、毎月穀物を買うだけでも約七百元かかる。一年なら八千四百元だ。うちにとっては小さくない支出だ」と計算してみせた。それに対し趙さんは、「栽培基地にも労働力が必要となる。出来上がったら管理員として働けば、収入はトウモロコ

二〇二〇年四月十二日、雲南省建水県西荘鎮白家営村委員会小石橋村のオレンジ畑で、「蘆柑」という柑橘類の収穫作業をする村民（撮影・蘆維前、写真提供・人民図片）

コシを作るよりいいはずだ」と答えた。

村民の誤解を前にして、村駐在活動隊員は村民の家を一軒ずつ訪ねて説明した。さらに地元の農業科学研究所の技術員を招いて、科学的な角度から村民へオアオレンジ栽培の実行可能性を説明してもらい、ようやく村民の懸念を払拭することができた。こうしてオアオレンジ栽培基地は予定通り完成した。

アラーム音が鳴り、スマホを取り出して銀行口座に三千五百元が入金されたのを確認した李さんの顔に、笑みが浮かんだ。李さんのような果樹園管理担当者のほかにも、資本参加した村民がオアオレンジ基地で一日働いた場合、百二十元の稼ぎになる。

この二年、オアオレンジ栽培基地だけでなく、色徳村にはウーロン茶やリンゴ、中華蜂飼育プロジェクトなどが雨後の筍のように立ち上げられ、村全体で千七百八人の貧困者が貧困を脱却するのを後押しした。「貧困脱却は第一歩にすぎない。土地による資本参加者にとっては、この後年末に予定されている配当も結構な収入になるはずだ」と趙さんは言う。

色徳村と同じように、中国各地でも、栽培業や加工業、農村ＥＣ（電子商取引）など複数のアプローチで、貧困世帯の雇用問題を解決している。二〇一九年、中国は年度貧困者削減目標を全面的に達成し、貧困人口を計千百万人以上減らした。二〇二〇年は貧困脱却の難関攻略の戦いにおいてその成否が決まる年であり、各地で貧困世帯の生活が安定するようサポートする努力が続けられている。

中国の貧困人口は二〇一二年年末の九千八百九十九万人から二〇一九年年末には五百五十一万人に減った。貧困発生率は一〇・二パーセントから〇・六パーセント

二〇二〇年五月十日、貴州省赤水市石堡郷大灘村で、村民のトマト収穫を手伝う党員ボランティア（撮影・王長育、写真提供・人民図片）

二〇二〇年五月八日、湖南省邵陽市隆回県の衣料品加工企業の貧困者支援を目的とした作業場で働く女性（撮影・曾勇、写真提供・人民図片）

に下がり、七年連続で年間一千万人以上の貧困者が減っている。中国全土の登録貧困世帯では、一人あたり純収入が二〇一五年の三千四百十六元から二〇一九年には九千八百八元に増え、年平均伸び幅は三〇・二パーセントとなった。

二〇二〇年に貧困脱却の難関攻略任務が達成されれば、中国でおよそ一億人の貧困者が貧困から脱却することになり、国連の持続可能な開発のための二〇三〇年アジェンダにおける貧困撲滅目標を十年前倒しして達成することになる。グテーレス国連事務総長は、「ターゲットを絞った貧困者支援策は、貧困者が持続可能な開発のための二〇三〇年アジェンダが示した壮大な目標を達成するための唯一のアプローチだ。中国の経験は他の発展途上国にとって有益で、参考にする価値がある」と述べている。

（張雲河、程煥）

ネットのライブ配信で貧困世帯にゆとりある生活を

「見てください。ニワトリたちはここで放し飼いにされています。生餌を食べて育つので、産んだ卵はおいしくて栄養たっぷり。殻まで緑色なんですよ」。貴州省長順県鼓揚鎮岩上村の林の中で、呉小夢さん（二十四歳）は手に卵を一個持ち、スマホの画面に向かって語りかけ続けていた。呉さんはネットのライブ配信で、故郷の特産品である緑色の殻の卵を紹介している。

呉さんの家は地元の貧困登録世帯だ。もともとは春節（旧正月、二〇二〇年は一月二十五日）が過ぎたら地元から離れて働きに出ようと思っていたが、新型コロナウイルス感染症の影響で予定が狂ってしまった。呉さんが仕事をどうするか悩んでいた時、村駐在第一書記を務める韋健さんが彼女を訪ねてきて、「スマホとコンピューターを使いこなせるのだから、ネットで村の商品を売ってもらえないか」と頼んだ。

二月初旬、呉さんは村の山で採れる特産品を扱う会社のライブコマース・パーソナリ

二〇二〇年五月八日、貴州省榕江県計画郷加宜村で、地元特産の農産品を紹介する動画を撮る駐在幹部の廖超成さん（撮影・劉進銀、写真提供・人民図片）

ティーになった。その任務は地元特産の緑色の殻の卵を売ること。初めの頃、呉さんは毎日快手や淘宝などのライブ配信プラットフォームを通じて、この卵の栄養価値を繰り返し紹介していたが、声が枯れるほどやっても数パックしか売れなかった。

最初に思うような販売実績が残せなかった呉さんは、ライブ配信をする場所を変えることにした。毎回農家で卵を仕入れる時に、呉さんはいつも撮影機材を持参し、ニワトリたちが普段どんなものを食べているか、どんなところで飼われているかなどの映像を重点的に撮影した。

しばらく続けてみたところ、呉さんは注文が少しずつ増えていることに気がついた。一番売れた時には、二十分で三千元（一元は約十五・六円）以上売り上げたこともあった。「私の配信を通じて、品質を直に感じてもらえるようになり、自然とお金を出して買いたいという人が出てきた」と呉さんは言う。

「毎月の基本給は千八百元。会社から歩合給も支給される。出稼ぎに行くのと変わらない」と呉さん。ここ数年、呉さんの家では家族が大病を患い、呉さんと妹はまだ学校に通っていたため、両親が農業や臨時雇いの仕事で得る収入では持ちこたえられなくなり、貧困世帯の登録をすることになった。今では、自分が稼いだお金で家族に恩返しができるようになり、呉さんはそれを心の底からうれしく思い、暮らしはますます良くなってきていると感じている。

卵の販売はスタートにすぎない。呉さんは今後も村に残り、ＥＣ（電子商取引）一本でやっていくことを

二〇二〇年五月五日、湖南省永州市道県祥霖鋪鎮上渡村のアヒル飼育場で、ライブ配信で顧客にアヒルの卵を紹介する電子商取引会社のネット販売員（撮影・何紅福、写真提供・人民図片）

決意。故郷のカルシウム豊富なリンゴや天然ハチミツ、菜種油など地元の特産品を販売して、山間に暮らす同郷の人々と一緒にゆとりのある生活へと羽ばたいていこうとしている。

（楊文明）

二〇二〇年五月十日、重慶市雲陽県巴陽鎮で、ライブ配信で商品の販促をする雲陽県委員会書記の張学鋒さん（撮影・劉洋、写真提供・人民図片）

インターネットを活用した貧困支援で農村に新たな活気を

ＥＣ（電子商取引）貧困支援モデル市である甘粛省隴南市では、農作物のネット販売が多くの農民の新しい作業スタイルとなっている。例えば、礼県永興鎮龍槐村の農民・張加成さんは毎朝、プラットフォームでライブ配信し、たくさんのフォロワーに、「リンゴ園」を見学してもらっている。ネット販売について、張さんは「リンゴの値段が三倍になった。二〇一九年、二十万元（一元は約十五・六五円）稼いだ」と感慨深げに話す。「インターネット貧困支援行動計画」が実施されて約三年の間に、貧困地域のインターネット通信インフラも整備されてきた。インターネットさえあれば、特色ある農産品も山を越えることができるほか、ハイクオリティの教育、医療などの資源も農村に届けることができる。こうしてインターネットの環境が向上することで、農村に新たな活気がもたらされている。

政府の大々的なサポートの下、隴南市で経営されているネットショップは一万四千

2020年4月15日、甘粛省隴南市礼県塩官鎮良源果業ECセンターで、リンゴのピッキング作業をする女性ら。オンラインで販売されたリンゴはトラックに積み込まれ全国各地へ発送される（撮影・李旭春、写真提供・人民図片）

2020年5月9日，安徽省碭山県葛集鎮、自宅のビニールハウスの中で、ライブ配信をしてスモモを販売する農家（撮影・崔猛、写真提供・人民図片）

三百七十二店あり、ＥＣ経営者は三万三千人以上に達している。二〇一九年、ＥＣは同市の貧困世帯に一人当たり八百四十元の増収をもたらした。

中国国務院貧困支援弁公室によると、「隴南市のＥＣを活用した貧困サポートの経験に学んだ国家級貧困県が中国全土に五百三十六県ある。ＥＣは国家級貧困県八百三十二県全てをカバーし、県級ＥＣ公共サービスセンター・物流配送センターが千七百カ所以上建設されている。農村のＥＣサービス拠点は十三万カ所以上あり、延べ五百万人以上が各種研修に参加してきた。二〇一九年、中国全土では農産品のオンライン販売額が三千九百七十五億元と、二〇一六年比で一・五倍に増えた」という。

インターネット貧困支援行動の実施が深化し、貧

二〇二〇年六月一日、江西省新余市のライブ配信教室で、ライブ配信による農産品の販売方法を学ぶ女性ら（撮影・凌厚祥、写真提供・人民図片）

困地域のインターネット通信インフラの整備も進んでいる。二〇一九年十月の時点で、中国の行政村の光ファイバーと4Gの開通率は九十八パーセントに達し、貧困村のブロードバンド開通率も九十九パーセントに達している。インターネットは特色ある農産品が山を越えるようサポートするほか、貧困層の人々の生活を大きく変えている。

河北省広宗県葫芦郷中学（中高一貫校）の中学三年の李子敏さんは、「授業一コマに教師が二人いる。一人の有名講師がインターネットのライブ配信を通して専門の知識を教えてくれ、学校の教師がそれをサポートし、疑問に答え、知識を付け加えてくれる」と話す。二〇一六年の中国大学統一入学試験（通称「高考」）で、第一志望合格ラインに達した広宗県第一中学の学生は一人だったものの、二〇一九年には一気に百十二人まで増えた。「インターネット＋教育貧困支援」により、有名講師、名門校、名門学習塾など、ハイクオリティな教育資源を貧しい農村が利用できるようになり、貧困が次の世代に受け継がれていくことがないよう、悪循環が断ち切られている。

甘粛省平涼市霊台県人民病院の遠隔診療センターの医師は現在、独店鎮の診療所の医師とビデオ通話で繋がり、張坡村の貧困世帯の張宏才さんの診療を行っている。張さん

2020年5月27日、音楽の授業を受ける浙江省湖州市長興県第四小学校の学生と麗水市慶元県嶺頭郷センター学校の学生。同2校は「インターネット+義務教育」をテーマにした貧困支援キャンペーンを展開し、ビデオ通話・ライブ配信を活用した授業を導入（撮影・許斌華、写真提供・人民図片）

は、「ビデオ通話で県病院の医師に見てもらうことができ、お金も節約できるし、とても便利」と喜ぶ。「インターネット+健康貧困支援」により、貧困グループもハイクオリティの医療資源を便利に利用できるようになり、病気が原因で貧しくなったり、貧しい状態に逆戻りしたりする人が出る状況を改善する点で大きな役割を果たすようになっている。

しかし、インターネット貧困支援により、さらに貧困が削減するようにするためには、そのウィークポイントを克服する必要もある。例えば、物流もその一つだ。統計によると、現時点で、中国の農村の九十六・六パーセントが宅配便サービスの営業所を設置しているものの、宅配便が直接村まで届けられる割合は三十五パーセントにとどまっている。さらに多くの農産品が山を越えることができるよう、国家郵政局は最近、「宅配便村進出」プロジェクトを始動し、三年をめどに、条件を満たす建制村（省市級国家機関による承認を経て設置された村）で、村々に宅配便が直接届くようにしたい考えだ。

インターネット貧困支援の効果をさらに向上させるためには産業チェーンの水準を向上させる必要もある。新型コロナウイルスの影響で、湖北省秭帰県は、熟したネー

2020年3月13日、江西省万載県人民病院遠隔医学センターで、白水郷診療所の医師とインターネットのビデオ通話を通して患者の診察を行う呼吸内科の専門家（撮影・鄧龍華、写真提供・人民図片）

ブルオレンジ約十七万トンの収穫だけでなく、販売することもできなかった。そこで、農家はプラットフォームの業者と連携して難題解決に着手した。あるＥＣプラットフォームの責任者によると、「動画を見ながら収穫、ピッキング、包装など全てのプロセスをモニタリングできる。オレンジの大きさを測り、糖度もワンボタンで測ることができる。異常が発見されれば、すぐに検査することができる」という。

人材不足というボトルネックを解決しなければ、インターネット貧困支援を安定して、末永く実施することはできない。山東省鄄城県は、オンライン販売専門の教室を開設し、定期的にショート動画やライブ配信に関する研修を行っている。そして、インターネットを活用して、ライブ配信をしたり、オンラインで農産品を販売したりできる「人気の農民」を育成し、「オンラインライブ配信＋オフライン産業」スタイルを通して、特色ある農産品を全国に販売している。

（顧仲陽、常欽）

アグリツーリズムで貧困脱却を後押し

青海省海東市平安区古城回族郷石碑村の景勝地は六月に入ると賑わい始め、毎日訪れる観光客が絶えず、花海観光景勝地には車が長い列を作るようになる。

古城回族郷蓮花山のふもとにある石碑村は、村内にある石碑からその名がつけられた。長い歴史を持つ少数民族の村で、自然の風景が美しい。しかしこれまで、緑の山や川は守られてきたものの、村民たちは貧しい日々を送っていた。

その苦しみを胸に刻んで教訓とした現地政府は、石碑村の自然生態環境や民俗文化といった資源面での優位性を活用する計画を立て、五百六十万元（一元は約十五・九円）を投資して石碑村アグリツーリズムプロジェクトを立ち上げた。同時に、観光や飲食、宿泊を主とした観光サービスをベースに、美しい農村建設を強化し、付帯サービスを整え、農耕体験やトレッキングなど自然を生かした娯楽プロジェクトを拡大・増加させ、「一村一品、一線一景」の特色あるアグリツーリズムを確立して、村民が収入を増やし豊かになることを後押しした。その結果、石碑村の貧困登録世帯の一人あたり可処分所得は二〇一五年の二千四百二十九元から二〇一七年には五千五百元まで増え、貧困脱却という目標を無事達成した。

石碑村党支部書記の馬成全氏は村について、「山に囲まれたこの地は環境が良く、空気もきれいで、天然の『酸素バー』のようだ。私たちは都市から来た観光客に、『農家院（農村家屋を利用した宿泊・レストラン施設）を訪れ、農家のご飯を食べ、農家の仕事をして、農家の部屋に泊まり、農家の楽しみを味わう』体験をしてもらっている。石碑村に影響される形で、周辺の農家でも農家院を始めたところがすでに七軒あり、雇用が三十人増えた。今年（二〇二〇年）、石碑村が受け入れ

一面に花が咲く石碑村瑞豊花海観光景勝地（写真提供・青海省海東市平安区文化観光体育局 微信公式アカウント）

農閑期に花畑で働く石碑村の女性（写真提供・中国農網）

る観光客は延べ十二万人に上ると見られ、一人あたり二千三百元以上の増収が見込まれる」と説明する。

観光客が数多く訪れるようになると、現地政府はその勢いに乗って村民が商機をつかみ、小型のスーパーや農家民宿ツアー、軽食店を開くことを奨励した。村民の馬小玉さんは、「私が作った釀皮（中国風の冷麺に似た食べ物）やヨーグルト、甜醅（燕麦などを発酵させた甘酒のようなスイーツ）を景勝地で売っている。観光客にとても評判がよく、毎日三百元ほどの収入がある。それに（出稼ぎに出なくていいので）子供の世話もできる」と話す。

地元を離れて出稼ぎしていた一部の人も、故郷が急速に発展するのを目にして続々と地元に戻って起業し、石碑村の経済発展に活気をもたらしている。

村民の馬守慶さんは、「以前は沿海部の発達した地域で手打ち麺の店をやっていた。向こうのほうが経済が発達していて、お金が稼げるからだ。でも今は、地元でも起業して収入を増やすことができる。二〇一九年に始めた農家民宿は敷地がたっぷり五百平方メートルはあり、十数室の部屋が宿泊客で満室になる。収入は出稼ぎに行くのと変わらない」と話す。

アグリツーリズムの発展にともなって、石碑村は五十万元の村集団発展資金を投じ、景勝地内に娯楽施設を設置。村の集団経済に年間で四万元の収入をもたらしている。これにプロジェクトによる配当も加わって、石碑村の村集団経済は年間の収入が十八万千六百元に達している。農閑期には周辺の八十世帯以上の農家から働きに来る人もおり、一人あたり二千元以上の増収になっている。

村集団経済が発展したことで、村民たちは今後の生活に自信を抱くようになり、「豊かな自然は金銀同様の価値がある」という道理も理解した。そして景勝地周辺の環境衛生に村民が責任感を抱くようになり、不定期にボランティアでの大掃除を行っている。

古城回族郷党委書記の車桂平氏は、「高原の美しい農村建設と居住環境整備が絶えず推進されるにつれて、石碑村の様子は一新され、平安区の重要なアグリツーリズム景勝地の一つとなった。村はますます有名になり、その名を慕ってやって来る観光客もますます増えている。二〇一九年、村民の一人あたり収入は一万三千二百五十六元になった」と語っている。

（王梅）

石碑村の名前の由来となった石碑（写真提供・青海省海東市平安区委員会宣伝部）

ペアリング支援の模範、福建省が支えた寧夏のブドウ産業

賀蘭山の東麓は中国のワイン醸造用ブドウが集中的に栽培されている生産地で、寧夏回族自治区を象徴する「紫色の名刺」となっている。二十数年前に植えられた一株の苗から、今では整った産業チェーンとブランド影響力を持つようになり、かつては荒涼としていた土地でブドウ産業がたくましく成長している。

一九九六年、中国は東部と西部の協力による貧困者支援を国家重大戦略として行った。当時、福建省委員会副書記を務めていた習近平同志は「福建省の寧夏ペアリング支援指導グループ」のグループ長となり、福建省による寧夏のペアリング支援の取り組みを主導し、「閩寧協力」もここからスタートした。

寧夏回族自治区の西海固地区は土地がやせており、水資源に乏しく、かつて国連から「最も人類の生存に適さない地区」に指定されていた。一九九七年、銀川市の南にあるゴビ砂漠に移民村が作られ、西海固地区から四万人以上の移民が続々とこの村に移住し

二〇一九年十二月二十九日、寧夏回族自治区初の高速鉄道が開通。黄江沿岸経済ベルト上にある銀川市、呉忠市、中衛市などの都市が「一時間経済圏」になり、寧夏の貧困脱却の難関攻略に役立った（撮影・袁宏彦、写真提供・人民図片）

た。「閩寧協力」の友情を銘記するため、この村は閩寧鎮と名づけられた。

閩寧鎮の建設・移住と同時に、産業による貧困者支援の「先手」も打たれ始めた。ブドウ産業はその重要な一環だ。福建から来た企業家にとって、閩寧鎮が位置するこのゴビ砂漠は普通のゴビ砂漠ではなかった。賀蘭山の東麓に位置し、北緯は三八・五度で、降雨が少なく、日照時間が長く、昼夜の温度差が大きく、砂の多い土には豊富なミネラルが含まれ、水はけがよく、ワイン醸造用ブドウの生長に必要な各種条件を満たしていた。

資金と技術が投入され、閩寧鎮のゴビ砂漠では黄土を緑の葉が覆うようになり、ワインの香りが漂うようになった。ブドウ産業のおかげで、移住してきた農民たちは安定した仕事と豊かさを手にすることができるようになり、すぐにこの地に根を下ろした。

隆徳県楊溝郷から閩寧鎮に移住した楊成さんは、辺鄙な山間地域にずっと暮らしてきた。以前栽培していたのはジャガイモと小麦で、一日中水のことで気をもんでいた。閩寧鎮に来てから、楊さん一家三人はブドウ園で働くようになった。楊さんは電気工の訓練を受け、妻は清掃の仕事をし、息子はショベルカーを操縦するようになった。今では、一家の月収は一万元（一元は約十五・九円）を上回る。

楊さん一家が働くブドウ園は、福建省晋江市出身の陳徳啓さんが経営している。約六千七百ヘクタールの荒地からスタートした陳さんは、寧夏で一番優れたワインを作ろうという志を立てた。今では、陳さんが醸

上空から撮影した寧夏回族自治区銀川市閩寧鎮の移民村。人々の生活環境がより快適で、より環境に配慮されていると同時に、雇用機会もあり、豊かになることもできる（撮影・李堅強、写真提供・人民図片）

造するワインはほぼ毎年国際的な賞を獲得し、中国国内だけでなく海外にまでその名が広まっている。

二〇一九年末時点までに、寧夏賀蘭山東麓のワイン醸造用ブドウの作付面積はすでに三万八千ヘクタールに及び、ブドウ産業は毎年、環境上の理由で移住した人々に約十二万の雇用機会を提供している。

「塞上江南」と呼ばれる寧夏でワインを醸造し、農民たちは貧困から脱却して豊かになったが、「閩寧協力」は今もその歩みを止めてはいない。俗に、「酒香不怕巷子深（商品が良ければ宣伝しなくても消費者は求めに来る）」と言われるが、やはり宣伝は必要だ。優れた酒であれば、なおのこと優れた市場ルートとマーケティング手段が必要になる。

頼有為さんは福建省徳化県から来た出向幹部だ。寧夏に来てから、彼は何度も故郷である徳化の業者を寧夏に招いてワイナリーを回り、彼らにワインの買付を勧め、販売ルートを開拓した。二〇二〇年五月には、頼さんはインターネットのライブ配信でライブコマースを行い、三十万元の売上を上げた。

朱文章さんは福建省晋江市の出身で、賀蘭山東麓ワインの代理業者をしている。長年

上空から撮影した寧夏回族自治区銀川市閩寧鎮の移民村。広場に露店を出し、自分で作った商品を売って商売をする人々（撮影・李堅強、写真提供・人民図片）

代理業者をしてきた朱さんは、高品質を追求するワインディーラーと数多く知り合い、革新的な「ワイナリー・シェア」モデルを打ち出すことを決意。朱さんの仲介により、五十社以上の企業が寧夏で良質なブドウが実る二百ヘクタールのブドウ畑のオーナーになり、毎年生産されたワインをシェアしている。こうすることで、買い手は自分のワイナリーを持つことができ、ワインの生産地を遡り、品質を管理することができる。一方、生産側は販売に頭を悩ませなくてもすむようになり、生産に専念することができ、生産量が安定し、高値で売れるようになった。

福建と寧夏が心を一つにし、石ころを金へと変えた。二十数年来、ワインは「閩寧協力」によって進められてきた産業による貧困者支援の努力と成果を見つめ、多くの貧困世帯が貧困を脱却して豊かになるという夢を実現させてきた。今、ブドウ産業における「閩寧協力」はさらにグレードアップし、「山と海が交わる」夢がきっと絢爛たる花を咲かせることだろう。

（顔珂、王漢超）

2019年9月25日、銀川国際コンベンションセンターで開幕した2019「一帯一路」国際ワイン・アンド・スピリット・コンペティション（写真提供・寧夏新聞網）

牧畜民たちに豊かな暮らしを

空がぼんやりと明るくなり始める頃、廷《ティン》・巴特爾《バータル》さんは忙しく働き始める。牧畜民たちが彼の畜産ノウハウを学ぼうとやって来る前に、自分の家の仕事を終わらせておかなければならないからだ。「もう六十五歳になるのに、まだ若者並みに働いているんですよ」とティン・バータルさんの妻は言った。

ティン・バータルさんは現任の全国政協委員だ。何年もの時間を費やして、彼は自分自身の手で、荒れ地化がひどかった自身の放牧地を草の生い茂るオアシスに変えてきた。二〇一九年、彼は団体や単独で畜産ノウハウを学びに来た延べ一万人以上の牧畜民に対応した。彼は党の第十八回全国代表大会代表や全国人民代表大会（全人代）代表を務めたことがあり、全国労働模範、全国優秀共産党員であり、地元では誰もが知る存在だ。彼の名前と同様によく知られているのが、彼が実践の中からまとめた、羊の飼育数を減らして牛の飼育数を増やす「減羊増牛」という畜産ノウハウだ。

内モンゴル自治区錫《シ》林《リン》郭《ゴ》勒《ル》盟阿《ア》巴《バ》嘎《グ》旗の牛畜産農家である達《ダ》胡《ホ》巴《バ》雅《ヤー》爾《ル》さんは、ティン・バータルさん自慢の弟子の一人だ。六年前、ダホバヤールさんは父親が一生をかけて増やしてきた千頭の羊を全て売り払い、六十頭の牛の飼育に切り替えた。父親は怒りのあまり何日も眠れず、父子二人の意見は衝突した。

ダホバヤールさんにとって、これはティン・バータルさんの畜産ノウハウに学び、入念に試算した後に下した決断だった。「牛を出荷した後、我が家の収入は影響を受けなかっただけでなく、放牧地もよりいっそう回復した。今は以前よりだいぶ楽になった。これもティン・バータルさんの畜産ノウハウのおかげだ」とダホバヤールさんは笑う。

2019年3月、全国政協委員として「両会」に参加したティン・バータルさん（写真提供・内蒙古日報）

ティン・バータルさんの畜産ノウハウは次のようなものだ。牛一頭は羊五頭の経済価値に相当するが、羊五頭には二十本の足があり、草を根元から引き抜くように食べてしまうため、草原に大きなダメージをもたらす。牛一頭には四本の足しかなく、草の先のほうしか食べないため、草の生長には影響しない。明らかに、同等の収入であれば、牛のほうが羊より草原へのダメージがはるかに少なく、労力もかなり少なくて済む。今では、「減羊増牛」はすでにシリンゴル盟の重要な発展戦略となり、牧畜民を豊かにしただけでなく、草原にも緑が蘇った。ダホバヤールさんはこの方法の恩恵を受けた新世代の牧畜民なのだ。

内モンゴル自治区の牧畜民たちの生活は質の面で飛躍的に向上し、牧畜とエコツーリズムが同時に発展した。写真は搾乳するシリンゴル盟の牧畜民（撮影・魯常在、写真提供・人民図片）

　この方法を広め、草原の生態環境を好転させ、牧畜民の収入が増えたことを、ティン・バータル

美しく色づく初秋のシリンゴル草原
（撮影・邢景平、写真提供・人民図片）

さんは全国政協委員として最もうれしく思っている。全国政協第十三期第二回会議で、ティン・バータルさんは人民大会堂における政協委員への取材の際、全国の人々に向けて自身の考え方を述べた。帰郷後は、自分にプレッシャーを課し、他の牧畜民の模範になろうとしている。普段、彼が一番多く口にする言葉は、「口でうるさく言うより、実際に手本を見せたほうがいい」というものだ。

ティン・バータルさんは、「牧畜民たちに得るものがありさえすれば、私はそれで満足」と話す。だからこそ、彼はどれほど忙しくても、ノウハウを教えてもらおうとやって来る牧畜民を拒絶したことはない。同時に、他の牧畜民の意見にも広く耳を傾け、それに自身が生産生活の中でぶつかった問題も加味し、的を絞った形で自身の提案を準備した。彼は、牧畜民の立場に立ってその声を聞き、牧畜民のニーズを全国人民代表大会・全国人民政治協商会議で伝えることは、より意義のある仕事だと思っている。そのため、ティン・バータルさんは牧畜地域の道路や情報ネットワーク、電力網などのインフラに対する牧畜民の意見にじっくりと耳を傾けた。

ティン・バータルさんにとって、草原をしっかりと保護し、さらに牧畜地域のインフラをしっかりと建設し、牧畜民たちが新しい生活を送れるようになり、家電やネットワークがもたらす利便性を享受することが、理想とするよい暮らしだという。より多くの牧畜民ができるだけ早く理想の生活を送れるようにするために、ティン・バータルさんはさらに自身の経験をまとめている。生産経営においては、収入が最高で支出が最小になり、生態環境に最も配慮し、労働強度が最も小さいポイントを探さなければならない。「それは全国の牧畜民全体にも適用できるように思う。今年（二〇二〇年）の全国政協ではさらにこの考え方を踏み込んで説明し、より多くの人に理解してもらいたい」とティン・バータルさんは語った。

（呉勇）

海抜が高く気候は寒冷、それでもあたたかい生活をおくる

八月、チベット自治区那曲市嘉黎県麦地卡郷では、外を歩くときにもう綿入れの上着を羽織らなければならないほどの寒さだった。ここの平均海抜は五千百メートル以上あり、海抜の高い寒冷な気候の放牧地域だ。海抜が最も高い凱熱村の牧場は五千二百八十メートルに達するという。真紅の民族衣装「蔵袍」に身を包み、つばの広いフェルト帽子をかぶった凱熱村のチベット族男性の倉巴さんは意気揚々としていた。村の合作社からの配当のほか、自分でやっているちょっとした商売とアルバイト、政府が支給する草原生態補助奨励などの収入があり、二〇一九年の一家の総収入は十万元（一元は約十五・九円）に迫ったからだ。しかし二〇一五年までは、一家の一人あたり年収は二千元ほどしかなく、貧困世帯に分類登録されていた。

変化は麦地卡郷が実施した「一村一合」の貧困脱却促進の政策によって訪れた。二〇一五年、巴桑次仁さんが麦地卡郷党委員会の書記に就任した当時、郷全体で貧困世

ヤクミルクを絞る遊牧民（撮影・李昌禹、写真提供・人民日報）

帯に分類登録された世帯は三百八十戸あり、世帯員は千九百人に上り、郷全体の貧困率は三十七パーセントにも達していた。牧畜民はあちこちでばらばらに放牧するのを主な生業とし、収入が極めて少なかった。巴桑次仁さんは経営を集約し、産業を発展させるため、一方で各村が経済協力組織を作るよう奨励・支援し、また一方で郷で職業訓練や自動車運転講習会などを開催し、牧畜民の技能訓練を実施した。数年が経ち、郷全体のすべての村で牧場合作社が設立され、さらに牛糞加工場、家政サービスセンター、ガソリンスタンドなど二十の経済協力組織が相次いで設立された。

二〇一七年、凱熱牧場合作社が設立され、倉巴さんは一家で飼っていたヤク十八頭をすべて合作社に投資し、妻も合作社で働き始めた。それから二年が経ち、倉巴さん一家は牧場から一万二千八百元の配当収入を得ただけでなく、小さな母牛一頭も配給された。自分で放牧する必要がなくなったため、倉巴さんは空いた時間でアルバイトに出られるようになった。この二年間、収入は一気に倍増した。今では、倉巴さんと同じように、麦地卡郷の貧困世帯がすべて貧困から脱却している。

ここ数年、那曲市はこの地域が抱える海抜が高い、自然環境が厳しい、経済的基盤が脆弱、産業構造が画一的といった問題に焦点を当て、牧畜業の資源がもつ優位性に立脚して、県（区）で牧畜業開発会社を設立し、市内でリーディングカンパニーを育

遊牧民たち（撮影・李昌禹、写真提供・人民日報）

牧場の牛の群れ（撮影・李昌禹、写真提供・人民日報）

成し、「リーディングカンパニー＋県の牧畜業会社＋合作社組織＋貧困世帯」の収益連携メカニズムを構築し、市から県へ、郷へ、村へ、世帯へと広がる牧畜業開発局面を形成し、貧困者支援の成果を高めた。

那曲市色尼区にある西蔵嘎爾徳生態畜牧産業発展有限公司は、牧畜業のリーディングカンパニーだ。記者が海抜四千五百メートルの嘎尓徳高原の有機牧畜産業モデル基地を取材した時、近くの達薩郷の六つの村の合作社で責任者を務める嘎達さんがバンを運転して、ヤクのミルクを運んできた。同基地の乳製品鑑定士の扎巴羅布さんがチェックし、嘎達さんが運んできたミルク約六十五キログラムは品質検査に合格し、すべて引き取られた。

青い空と白い雲の下に広がるチベットの畑
（撮影・李昌禹、写真提供・人民日報）

嘎達さんは、「以前は牧場が統合されておらず、皆ばらばらに経営を行い、自分が生産したミルクを自分で貯蔵し販売するのはとても大変だった。今では、基地が牧畜民たちに保冷ステンレスタンクを提供してくれるので、輸送は便利になったし、販路も心配しなくてよくなり、牧畜民の生産に対する積極性が大幅に向上した」と話した。嘎爾徳基地の生産現場を訪れると、ヨーグルト、ヤクバター、発酵食品などさまざまな乳製品が所狭しと並んでいた。基地の責任者の明加塔さんの説明によると、同基地は二〇一八年一月に運営を開始し、これまでに貧困村七十六カ所の貧困世帯八百十二世帯が基地にミルクを供給し、肥料を販売し、草原を一時的に貸し出しし、また基地で働くようになり、登録された貧困世帯は七百五十一万二千三百元の収益を得た。

那曲市委員会の敖劉全書記は、「数年にわたる持続的な推進により、那曲市の農業農牧畜業合作社は千五百四十カ所に上り、農民・牧畜民七万三千五百世帯の三十二万二千九百人に影響が及ぶようになった。二〇一九年の営業収入は総額三億六千六百万元に達し、配当は一億九千九百万元になり、延べ一万九千百人の農民・牧畜民が近くの地元で働けるようになり、延べ八万二千七百人が賃金や配当などで一億二千百万元の収入増加を達成し、一人あたりの増加額は千四百六十七元だった」と説明した。

「自力更生し、困難に立ち向かい奮闘し、苦しい仕事もいとわない」。これは現地の貧困者支援に携わる幹部の掲げるスローガンであり、貧困から脱却するためには必ず通らなければならない道でもある。

（李昌禹）

クルミに続く売り物は風景　雲南・光明村

初秋、標高二千メートル以上の雲南省漾濞彝《イ》族自治県蒼山西鎮光明村には、「雲よりも高い」土地約六百七十ヘクタールに植えられたクルミの木の林が広がっていた。このクルミ林には、百年以上の古木も六千本以上ある。漾濞の森林率は八十三パーセントに達し、クルミは県の支柱産業だった。しかしここ数年、乾燥クルミは一キログラム三十元（一元は約十五・九円）以上から十元程度まで暴落し、光明村は発展戦略を転換し始めた。村内の美しい自然環境を利用し、エコツーリズムを展開し始め、村内のどの世帯も観光産業に携わるようになった。

入口には赤い灯籠が下がり、建物の中ではテーブルがいくつか食事客で埋まり、農家民宿ツアーを経営する李斌さんは忙しく働いていた。李さんは三十代前半。以前はネットでクルミを売っていたが、現在は農家民宿ツアーを経営している。李さんの起業経歴は、光明村の発展戦略の転換を象徴している。

光明村の農家を改装した民宿の一角（写真提供・人民網雲南チャンネル）

以前、この村は交通が不便で、村民の生活は苦しかった。しかし二〇〇八年、光明村に舗装道路が通り、クルミ祭りを開催。その後、クルミの価格はどんどん上がり、村民の生活は改善された。

二〇一四年、李さんは光明村に戻り、ＥＣ（電子商取引）でクルミの苗木と農産品を販売するようになった。その頃、クルミの価格はすでに下がり始めていた。クルミの収穫は高所での作業であるため、専門の業者に頼まなければならない。その費用は安くないため、クルミを売ってもクルミの収穫コストを回収できない農家もあった。

二〇一五年から、光明村では観光開発企業を誘致して農村エコツーリズムを展開し始めた。二〇一九年、村の観光収入は二百万元近くに達した。二〇一九年、

光明村の農家を改装した民宿（撮影・虎遵会）

李さんも農家民宿ツアーを始めた。

光明村の近年の発展を振り返ってみると、地元政府の支援が欠かせなかった。二〇〇八年から、漾濞県では光明村を対象にしたプロジェクトが多くなり、それまでなかった村の道路網や駐車場、景観トイレなどの施設が新たに建設された。漾濞県委員会宣伝部の光明村駐在貧困者支援幹部である楊欣さんは、「農村インフラの不足を解決して初めて、村の美しい自然環境を外部に知ってもらえる」と語る。

エコツーリズムを始めたばかりの頃、光明村にはプランや専門の運営理念が不足していたため、発展は今一つ進まなかった。しかし観光開発企業を誘致し、近代化された景勝地を徐々に建設していくにつれて、観光客数も大幅に増えていった。

観光企業の運営の下で、光明村は「雲上四季花海」や「草坪珈琲館」などを建設した。鶏茨坪グループ周辺の農家七十三軒では、七十五人が自宅近くで働けるようになり、収入は百八十万元以上増えた。また、十ヘクタールの土地経営権で株式参加、貸出、転用などの形式で企業に提供し、農家四十二軒の収入は計四百万元以上になった。

取材で訪ねた際、村の党総支部の楊雪明書記は「クルミづくしの宴会料理」の作り方を学ぶ村民の数を集計している最中で、「六十人の枠が二日で埋まってしまった」とその人気ぶりに感嘆していた。楊書記によると、漾濞県政府は無償の各種訓練カリキュラムを企画し、村民が観光サービスのレベルを高めるサポートをしている。楊書記は、「村民の言葉遣いや立ち居振る舞いも変わってきている。以前は観光客を避けていたが、今は外部の人と交流したがるようになった」と感慨をもらす。

光明村村委員会の魏定奎主任は、「以前は村民の会議を開いても人が集まらなかったが、今は会議の通知をしないとその家から苦情が来る。何か重要な情報を聞き逃さないか心配で、一軒から二人来たこともある」と話す。

クルミ園グループの一員である村民の楊建さんは、光明村生態管理委員会の副主任で

二〇一八年九月一日、「中国クルミの郷」である雲南省漾濞彝族自治県が同県光明村で開催したクルミ狩りとクルミの神様を祭るイベントの様子（撮影・李発興、写真提供・人民図片）

あると同時に、山を守る監視隊の隊長でもある。楊さんは、「今では、動物の密猟や林木の不法伐採といった行為も鳴りを潜めた。環境保全のために樹木の伐採を一定期間禁じた後、荒れ地に木が育ち、キョンやキジ、ヒグマなどをよく見かけるようになった。光明村では金安寺と小花園という二つの検査所を設けて、九人の監視隊員が当番制で山をパトロールし、人が勝手に山に入って土や石を取っていかないようにしている」と説明する。

楊さんが所属している生態管理委員会は、光明村の八つの委員会による村の管理体制である「八委治村」委員会の一つだ。光明村は村民を動員し、河川水源、道路交通、民俗習慣、環境衛生、生態管理、企画管理、住民調停、治安警備の八つの委員会を設立し、熱心な村民が委員を務めている。
光明村観光開発企業の責任者である吉小冬さんは、「村が規範を設けて管理をするようになり、村の景観が改善された。優れた自然環境は空気と同じように大切だ」と述べた。

（徐元鋒）

無形文化遺産のわざを伝えて
貧困者支援から張り合いのある暮らしへ

「体中やる気に満ちている！」。ここ数年、無形文化遺産の技術を伝えて貧困者の雇用を支援する工房、そこで甘粛省臨夏回族自治州伝統の建築装飾アート・レンガ彫刻の技術を学ぶ同自治州の貧困者・張宏傑さんは、張りのある声でそう話した。地元の多くの人々がこうした工房で技術を学び、安定した仕事に就いて、その平均月収は約四千元（一元は約十五・八五円）に達している。

特に技術がないというのが、貧困世帯の貧困脱却と増収を阻む大きな足かせとなっている。実際には、少数民族が住んでいる地域や貧困地区は往往にして伝統工芸が豊富な地域で、突出した特色があり、切り絵細工や刺繡、絵画、金属加工、建築・造営などのたくさんの優位性を誇る無形文化遺産資源がある。

手に職をつけることができれば、世帯として貧困を脱却し、豊かな生活を送ることができるようになる。二〇一八年七月以来、中国文化・観光部（省）は、各地域が無形文

二〇二〇年八月二十五日、貴州省丹寨県の無形文化遺産である藍錦染色技術を伝えて貧困者を支援する工房で、ろうけつ染めの製品を製作する苗族の女性ら（撮影・黄暁海、写真提供・人民図片）

化遺産の技術を伝えて貧困者の雇用を支援する工房の建設支援を始めた。現在までに各地におけるこうした工房がプロジェクト二千二百件以上の実施を促進し、五十万人以上の雇用を創出。貧困世帯二十万世帯以上が貧困を脱却した。

貴州黔東南苗《ミャオ》族侗《トン》族自治州雷山県の山深い場所にある西江鎮麻料村は近年、無形文化遺産の技術を伝えて貧困者の雇用を支援する工房を建設しており、銀細工製作、無形文化遺産をテーマにした観光が急速に発展した。ただ、二〇二〇年の初めは新型コロナウイルスの影響で、観光客が減少し、銀細工の販売も落ち込んだ。

しかし、六月に朗報が届いた。無形文化遺産関連の商品の販売をめぐる難題を解決し、消費を効果的に拡大すべく、中国文化・観光部、商務部、国務院貧困者

二〇二〇年五月十九日、河北省承徳市豊寧満族自治県の無形文化遺産である鉄を編む技術を伝えて貧困者雇用を支援する工房で、飾りちょうちんの作り方を学ぶ女性（撮影・劉環宇、写真提供・人民図片）

支援弁公室の支持の下、複数の大手ＥＣ（電子商取引）プラットフォームが共同で「無形文化遺産ショッピングフェスティバル」を開催し、無形文化遺産関連の機関、企業、無形文化遺産工房が各プラットフォームで販促キャンペーンを展開したのだ。

今回インターネット上で、無形文化遺産をテーマにしたショッピングフェスティバルが開催され、銀細工職人の潘仕学さんは感激した。ＥＣに関する知識を学んでトレーニングを受け、オンライン販売には大きなポテンシャルがあることを目の当たりにした。そして、「私たちのような辺鄙な地域に住む苗族が製作する銀細工を他の都市に直接販売することができる。販売ルートが何の障害もなく通じ、今後もっと発展すると確信した」と話す。

中国各地の無形文化遺産工房では、関連当局が、伝統工芸の研修を幅広く企画、展開し、村民の製品の製作能力、デザイン、開発能力、市場開拓能力を向上させてきた。また、各当局が工房で製作された製品の各種展示会、展示即売会などを積極的に企画し、それら製品が各景勝地、観光スポット、公共サービスポイントなどにも並ぶように取り組んで、オンラインとオフラインの宣伝やマーケティングを強化している。

こうした工房を通じた、魚を与えるのではなく、魚の釣り方を教える支援により、村民は手に職をつけることができるだけでなく、視野を広げ、思考の幅を広げることができるようになっている。

以前は出稼ぎに出るというのが貧困

2020年8月15日、湖南省通道侗《トン》族自治県で、琵琶を演奏するトン族の人々。同県では、トン歌、トン族の器楽などの「無形文化遺産」が貧困者支援文化活動に盛り込まれ、県民が余暇にできることのバリエーションが増えただけでなく、伝統文化である「無形文化遺産」の継承にも一役買っている（撮影・劉強、写真提供・人民図片）

二〇一八年四月二七日、江西省贛州市会昌県麻州鎮九州村起業パークの籐家具工場にある、「無形文化遺産の技術を伝えて貧困者を支援する工房」で、家具を製作する男性ら（撮影・朱海鵬、写真提供・人民図片）

世帯の増収の主な方法で、甘粛省省隴西県雲田鎮三十鋪村に住む牟淑平さん夫婦も出稼ぎに出ていた。しかし、村に隴西県の無形文化遺産となっている伝統的な刺繡の技術の工房が建設され、牟さんら女性約二十人は研修を受けて、工房のメンバーとなった。

村民が技術を学んで、お金を稼ぎながら、子供や家族の世話をすることもできるだけでなく、地元の人々が貧困から脱却して豊かになり、さらに、伝統工芸を継承し続けることもできる。

「刺繡を製作してお金を稼ぐことができ、子供も、高齢者も喜んでいて、村は一層賑やかになって、活気が出た」。湖南省花垣県には、出稼ぎに出ていた女性が戻ってきて、工房で働くようになっている。女性らは、「仕事と家庭を両立させることができ、本当にうれしい」と、顔をほころばせる。

（鄭海鴎）

豊かさへの道を歩む雲南省の村・怒江のリス族

雲南省福貢県鹿馬登郷の阿路底貧困支援移住・再定住エリアに足を踏み入れると、聞きなれた曲を傈僳《リス》語で歌う、美しい歌声が聞こえてきた。その声につられて福貢群発民族服飾加工専業合作社に入ると、浅黒い肌をした男性がリードしながら、研修に来ていた村民が大きな声で歌を歌っていた。

その男性は、合作社のリーダーである此路恒《ツルハン》さんだ。リス族のツルハンさんの話になると、村民らは次々サムズアップをして賞賛する。幼いころの病気の後遺症で、今も杖をつく彼は、不屈の精神と努力を糧に、村民たちの先頭に立って貧困を脱却し、富を築く道を突き進んできた。

非常に険しいものの、壮麗な怒江大峡谷が、ツルハンさんの生まれ故郷。そこは、山に寄り添うように作られた村だ。貧しさから、ツルハンさんは中学校を退学した。そして、身体的な障害のため、思うように動くことができず、当初は家で簡単な手作業をす

雲南省福貢県鹿馬登郷赤恒底村で歌を合唱するリス族の混声合唱団（写真提供・鹿馬登郷政府）

るしかなかった。しかし、賢い彼は諦めることなく、家に富をもたらす道を探り続けた。

その後、建築の請け負いをして、ツルハンさんは人生で初めてまとまったお金を稼ぐようになったものの、二年後には、その手っ取り早く稼げる建築の仕事を辞めた。なぜなら「自分だけが豊かになっても意味がなく、故郷の皆と一緒に何かをやりたかった」とツルハンさん。

ツルハンさんは、「どうしたら村民らが技能と産業を持てるようになるのだろうか？」と、頭をひねり続けた。そんなツルハンさんは、伝統的なリス族の集落・赤恒底村のどの家の人も、糸を紡ぎ、布を織る技術や服飾加工の技術を持っており、そこにビジネスチャンスがあることに気付いた。手織りの麻布なら、利益が少ないものの、服に仕立てれば市場で良い値段で売れると考えた。

そこで、ツルハンさんは妻と共に、ミシンなどの機器、設備を購入し、民族衣装のデザインを始めた。すると、新作を出すたびに人気となり、供給が需要に追い付かないほどになった。

二〇一三年、ツルハンさんは周囲にいる機織りができる村民に呼びかけ、福貢群発民族服飾加工専業合作社を設立した。その呼びかけに応じ、村の人々から集まった資金は百万元（一元は約十五・九円）を超えた。加工生産設備を購入し、生産専門チームを立ち上げた。そして、これまで家庭規模の作業場で織られ、作りが粗く、製品のバリエーションが少なく、しかも規格がバラ

雲南省福貢県鹿馬登郷赤恒底群発民族服飾加工専業合作社で仕事するスタッフ（写真提供・鹿馬登郷政府）

バラだったという欠点も改善した。

合作社の商品はリス族と怒《ヌー》族の民族衣装がメインで、顧客のニーズに合わせて、ツルハンさんはメンバーと共にバリエーションを増やし、新しいスタイルをデザインし続けた。その努力が実り、合作社を設立した当年に平均世帯収入二万元以上を実現した。

生産規模が拡大するにつれ、合作社の製品はブランディング効果を発揮するようになった。民族衣装を大きな産業にするため、合作社はブランド「紗蘭顔」の商標登録を出願した。現在、合作社は年間四万着の服を製作できる生産能力を備えており、その商品は怒江州現地だけでなく、ミャンマーやシンガポール、タイ、日本などでも販売され、年間売上高は三百七十万元以上に達し、村民四十世帯以上に富をもたらした。

「この産業を通して、収入が増えただけでなく、民族の伝統服飾文化を継承することもできた。そして村民たちは仕事をすることで、自信を増した」とツルハンさん。

最近、ツルハンさんはますます忙しくなっている。福貢県高黎貢山に帰ってきた人々を対象にした裁縫研修教室では、ミシンの「カタカタ」という音がずっと鳴り響いている。そこで、ツルハンさんは、リス族とヌー族の村民数十人を対象に技術研修を行ってている。

研修に参加している人を見ると、二十代の女性もいれば、五十歳を過ぎたリス族の女性もいる。「村民に技術をマスターしてもらわなければならない」と話すツルハンさんの訓練を受けている人々は二カ月すると「独り立ち」し、自宅の作業場や怒江の各貧困支援作業場で働くようになる。

その他、ツルハンさんはオンライン販売プラットフォーム「中国民族服飾商城」の管理にも携わっている。「もっと発展するために、先を見据え、いろんなことを考えなければならない」とツルハンさん。


（李茂穎）

第三章

生活・就労支援

——雇用を創造し、人々に豊かさを——

健康面から進める貧困者支援

二〇二〇年は貧困脱却難関攻略戦に全面的な勝利を収めるうえで最後の年に当たり、残された貧困脱却の難関攻略任務は極めて難易度が高くなっている。そのうち農村の貧困者の中には、病気や身体障害により貧困に陥った人の比率が比較的高く、最も困難な課題となっている。しかも、任務が進むにつれて、健康面での貧困者支援という任務はますます難しくなり、病気による貧困者の削減と病気によって再び貧困に戻ってしまう人の増加防止という二重のプレッシャーに直面している。近年、各地では健康面での貧困者支援の強化に主に力を注いでいる。今回紹介する鄧光洪氏は、チベット族地区で貧困者支援を行う医療従事者だ。

四川省甘孜《カンゼ》チベット族自治州徳格県は標高が平均四千二百メートル、高山気候で、農民の収入源は単一的で牧畜業を主としている。劣悪な気候や地理条件によって、同県の経済は相対的に立ち遅れており、一部の風土病にも長期的に悩まされてきた。

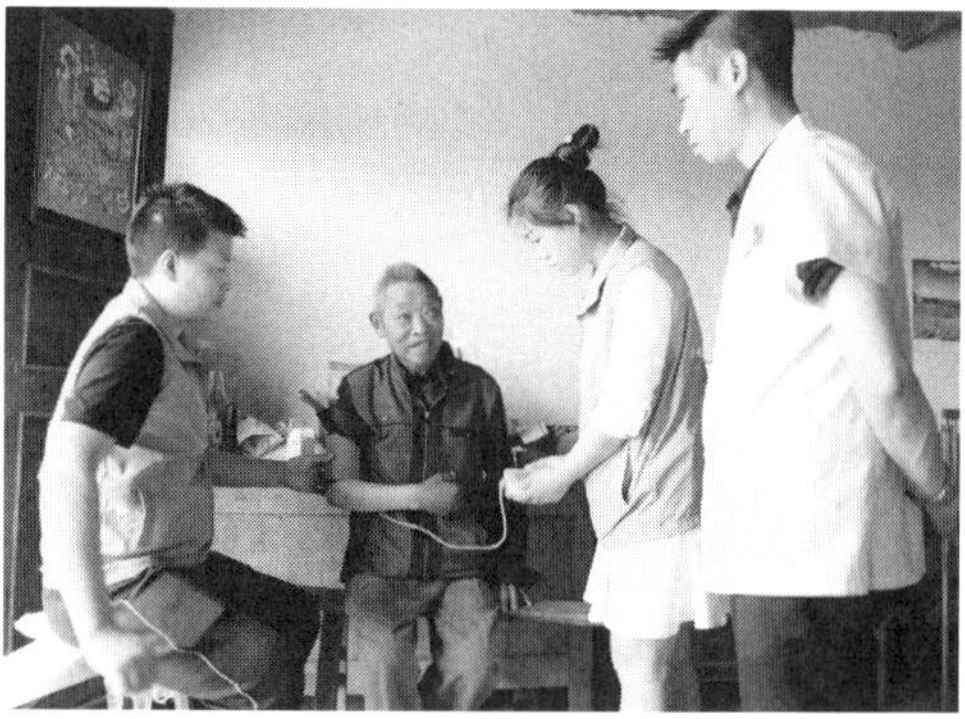

二〇二〇年五月三十一日、重慶市墊江県桂陽街道（エリア）十路村で、現地で貧困を脱却した人の診察をする桂陽コミュニティ衛生サービスセンターの総合家庭医療チーム（撮影・孫凱芳、写真提供・人民図片）

二〇一八年六月、鄧氏が所属する成都市第一人民病院では徳格県へ貧困者支援要員を派遣する機会があり、鄧氏は進んで志願した。同月末、鄧氏は徳格県へと向かい、柯洛洞郷燃卡村の村駐在幹部となり、二年にわたる貧困者支援の任務をスタートさせた。

燃卡村は完全な牧畜区域で、農家百三十三世帯、四百三十五人が暮らしており、うち貧困世帯は二十八世帯、九十八人。鄧氏と三人の派遣幹部は一部屋二十平方メートルほどの広さしかない宿舎で暮らし、県城（県人民政府所在地）に行ってシャワーを浴びられるのは一週間に一回しかなかった。冬は非常に寒く、室内に置いたミネラルウォーターが凍ってしまうほど。だが鄧氏は、「生活条件なんてものは、慣れてしまえばなんでもない」と言う。

二〇二〇年五月十四日、湖南省保靖県で県内に暮らす高齢者のために無償で健康診断をする医療従事者（撮影・俞采華、写真提供・人民図片）

村に駐在してから最初に行ったのは、貧困世帯の基本情報をきっちりと調べ、人口情報や住居、羊小屋などの状況を整理して記録に残したことだ。さらに、各貧困世帯の場所を衛星測位システムで測位し、貧困者支援プロジェクト実施のために正確な情報を提供することを可能にした。こうした短期間のうちに、鄧氏は村人、特に貧困世帯の状況をしっかり把握した。

農民向けの夜間学校で、鄧氏は村民たちにさまざまな実用的知識を教え、その内容は各方面にわたった。しかし鄧氏が教えたことのうち最も多かったのは疾病の予防・抑制だった。例えば小学生によく見られる疾病の予防や、エキノコックス・結核・変形性骨関節炎の予防・抑制などについてだ。疾病予防・抑制について重点的に知識を広めたのは、それが鄧氏の専門分野だったというだけではなく、貧困地区の人々が貧困に陥る原因のうち、病気による貧困というのが最も主要な要因の一つだったからだ。二年間で、鄧氏は五十回以上も講座を開いたが、疾病予防・抑制関連の内容は三十回以上に上った。こうして健康の観念は徐々に人々の生活習慣の一部になっていった。

鄧氏は燃卡村のどの貧困世帯にも注意を払ってきたが、特に注目してきたのが土多ちゃん一家だ。

土多ちゃんはてんかんを患っており、よく発作を起こす。母親は毎年息子を大きな都市の病院に連れて行って治療を受けさせているが、その高額な医療費は一家にとって大きな負担となっている。こうした状況を知った鄧氏は、職場の病院に連絡を取り、何度も神経科の主任に診療プランについて問い合わせを行い、そこで知り得た情報を土多ちゃんの母親に伝えることで、生活や食事の面でも色々と配慮させている。

二〇一九年七月のある晩、土多ちゃんはてんかんの発作を起こし、昏倒した時に顔面から地面に倒れたため、頭部と目に重傷を負った。鄧氏は土多ちゃんの母親から助けを

二〇二〇年三月二十日、西雷陽村を訪れ、健康面での貧困者支援を行う山西省運城市聞喜県医療チーム凹底鎮センターの衛生医療スタッフ（撮影・史雲平、写真提供・人民図片）

求める電話を受けると、すぐさま土多ちゃんの家へ行って病情を把握し、県の病院へ連れて行って治療を受けさせた。そして完全に治癒させるため、鄧氏は職場と話をつけて、土多ちゃんを成都市第一人民病院に入院させた。土多ちゃんは入院後、微信（WeChat）で、「鄧さんありがとう！　あなたから受けたご恩は一生かけても返せないほどです」というメッセージを送った。

燃卡村には重傷を負って身体障碍者となった村民もいる。鄧氏は彼らが身体障碍者登録をして、身体障碍者証を取得できるようサポートした。そのうち、貧困世帯の阿各さんは二〇一九年十一月、民政当局の最低生活保障対象になり、検査や治療、入院などの費用を減免してもらえるようになった。かつては悲観的だった阿各さんは再び生活への意欲を取り戻し、鄧氏を見かけるたびに感謝の気持ちを示しているという。

二〇二〇年六月、鄧氏の二年間にわたった貧困者支援任務は終わるはずだったが、貧困脱却成果の強化という任務は困難を極めるため、派遣側の手配や本人の希望を考慮して、燃卡村での村駐在貧困者支援の期限を一年延期し、彼は健康面での貧困者支援を徹底的に進めていく予定だ。

（李富強、羅薇）

貧困脱却を積極的に支援　湖北省金融システム

湖北省丹江口市均県鎮蔡方溝村の蔡光美さん一家が営む養殖拠点では、ニワトリ千五百羽が放し飼いされている。約二六・七ヘクタールのミカン畑と約三・三ヘクタールのカボチャ畑も請け負っており、のどかさの中で、活気があふれている。

今から三年前、蔡さん一家は貧困世帯だった。六人家族がわずかなミカン畑で生計を立て、かつかつの生活を送っていた。養殖業を発展させたいと思っても始めるための資金がなく、どうすることもできなかった。そんな中で、二〇一七年六月、蔡さんは湖北省農村信用社連合社に貧困者支援の融資十万元（一元は約十五・六円）を申請し、無事に融資を受けることができた。

資金が手に入ると、プロジェクトを進められるようになり、蔡さんの事業がスタートした。それから一年後、一家の純収入は十五万元前後に達した。

蔡さん一家の産業園は湖北金融システムがターゲットを絞った貧困者支援の一つの縮

図だ。少額の貧困者支援の融資を提供し、企業のためのプラットフォームを構築し、農家の信用システムを整えることで、湖北の金融産業は貧困者が生活の支えとなる中心的な産業を発展させ、安定した収入増加を実現するのをバックアップしてきた。

蔡さんと同じように湖北金融産業の恩恵を受けた人に、同省襄陽市穀城県の薛勇さんがいる。同県盛康鎮江梁村の人々に言わせると、「薛さんがあんなに成功するとは誰も思わなかった」という。

薛さんには脳性麻痺があって歩くとふらふらし、以前は鶏を飼ってなんとか暮らしていた。二〇一六年八月、妹が大学に合格したものの、薛さん一家は四万元の学費を払えなかった。

そんな時、同信用社連合社が薛さん一家の状況を知った。調査したところ、薛さんは貧困者支援の融資の基準を満たしていたため、ただちに八万元の少額融資を提供した。薛さんは妹の学費を納めると、残った資金で養殖業を拡大した。今では養鶏場に三千羽以上のヒヨコがいて、ECルートを通じ、一カ月で鶏百羽以上と卵数千個を販売し、年収は八万元に達する。薛さんは養鶏業のプロ、病害防疫対策の専門家として広く名前を

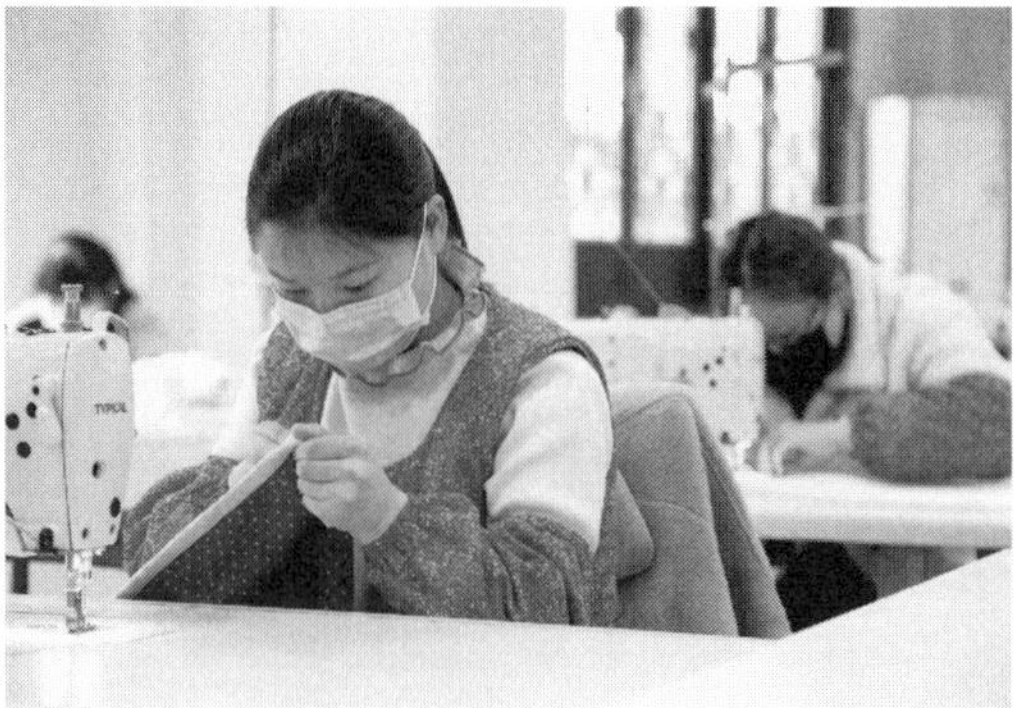
二〇二〇年三月十六日、湖北省十堰市鄖陽区柳陂鎮竜韻村の布製品工房の「貧困者支援スポット」で、現地の村民がベッドリネン製品を製作する様子（撮影・曹忠宏、写真提供・人民図片）

知られるようになった。
二〇一九年九月末現在、同信用社連合社による貧困者支援の金融サービス件数は百二十一万件に上り、実施した少額融資は累計百七十億元に上り、貧困世帯三十万戸の収入増加を直接的・間接的に牽引した。
金融システムによるターゲットを絞った貧困者支援は困窮している人を助けるというだけでなく、安定した支援モデルを形成し、地域経済の飛躍的発展を支えることがより必要になる。中国建設銀行湖北省分行は貧困地域で経済社会の発展が遅れているところに焦点を当て、銀行の資金提供・情報提供プラットフォームを利用し、貧困地域が資源、資金、技術、プランなどを導入するために、これまでの一回限りの「魚を与える貧困者支援」から、持続可能な「魚の釣り方を教える貧困者支援」への転換を推進している。

同分行の祝艶陽副頭取は、「二〇一九年十二月末現在、同分行は金融分野のターゲットを絞った貧困者支援の融資残高が百億元を超え、プロジェクトを実施した貧困世帯の十万七千六百三十七人が恩恵を受けた。これまでに支援した指定貧困者支援対象村は累計百二十六カ所に上った」と述べた。

サツマイモ「紅安苕」は湖北省黄岡市紅安県の貧困世帯が貧困から脱却して豊かになるための基幹産業の一つだ。現地の食品メーカーはこれを使ったそうめんなどの商品を開発し、サツマイモや小麦の栽培拠点を建設し、農家と長期間の買い取り契約を交わして、「リーディングカンパニー＋拠点＋専門の合作社＋農家」という経営モデルを構築した。

企業の貧困者支援プロジェクトが発展を続け、金融機関からも支援が行われている。中国郵政貯蓄銀行湖北省分行の鄧建華副頭取は、「ここ数年、当行は貧困地域の特色ある産業と貧困者支援プロジェクトをめぐり、融資支援を拡大し、金融分野のターゲットを絞った貧困者支援で提供した融資は累計百億元に迫り、貧困世帯五万戸あまりが貧困

湖北省宜昌市秭帰県はデコポンの栽培に力を入れており、三峡ダムのため移民した人々が貧困から脱却して豊かになるための主な収入源になっている（撮影・鄭坤、写真提供・人民図片）

から脱却して豊かになるのを支援した」と述べた。

融資が提供される過程で、同分行は貧困地域で金融の知識を広める「ＰＲ隊」の役割も担い、末端の職員を組織して農村の隅々に深く入り込ませ、方向性を定めて金融知識のＰＲサービスを展開し、貧困者の間で金融の知識を運用して豊かになるという意識と能力を着実に高めた。これと同時に、貧困地域の信用システム構築を加速し、「信用状況が良好――融資限度額が上昇――産業が拡大」という「ポジティブフィードバック」システムを作り上げた。

（馬原）

江西で生態山林保護員二万人が貧困から脱却、安定した暮らしへ

方友紅さんは、江西省共青城市金湖郷森林防火隊に所属する生態山林保護員だ。彼はゴム長靴を履き、ブリキ製のやかんを肩に担ぎ、柄の長い消火用モップを手に持ち、毎日山を巡り歩く。一度でおよそ三十キロ以上の道のりを歩くことになる。

江西省には、方さんと同じような生態山林保護員が二万千五百人おり、森林火災を防ごうと、第一線で働いている。彼らは、青々とした山と澄んだ水の流れを守るため、労苦を厭わず働くとともに、貧困から脱却して豊かな暮らしを手にしている。

方さんは、腰に椎間板ヘルニアを患っており、左眼の視力障害は四級障がいに認定されている。母親は高齢で、子供もまだ幼いため、出稼ぎに出ることも難しい方さんは、一時は貧困状態に陥っていた。

では、どうやって貧困脱却を果たしたのだろうか？　二〇一六年、現地政府は方さんのために生態山林保護員のポストを申請してくれた。この仕事は、月給五百元（一元は

約十五・七円）が支給される。「政府による配慮に報いるため、私は一生懸命この仕事をやった」と話す方さんは、地元の専門の山林保護員に自ら進んで教えを乞うただけでなく、消火器の使用方法を学び、さらには、パトロール日誌を記録し続けた。日誌を開くと、一画一画丁寧に書かれた字で、毎日何をしたか、毎日何に注意を払って巡回したか、しっかりと記録されていた。

貧困脱却の難関攻略政策を推し進める江西省は、林業が盛んであり、林業が天然の優位性と潜在力を備えていた。同省に登録されている貧困世帯から生態山林保護員の職に就いた人は、二〇一九年新たに七千五百人増え、生態山林保護員の総数は累計二万千五百人に達した。移転のための支給資金は累計五億三千万元、政策の波及効果により貧

江西省吉安市安福県で発展した林の中薬材料産業は、グリーン発展の道をたどり、農民の増収・豊かさを実現する新たな注目産業となった。写真は木の上に植えたセッコク（ラン科の常緑多年草）を管理する現地の村民（撮影・劉麗強、写真提供・人民図片）

困人口約七万人が貧困からの脱却を実現した。また、同省は、公益林の生態効果補償メカニズムを整え、二〇一九年に生態公益林に対する補償額は十一億二千万元に上り、補償レベルは中部地区でトップとなった。このうち吉安市は、公益林資金補償弁法に基づき、二〇一九年一億二千七百万元の補償資金を拠出した。うち公益林補償の対象となった貧困世帯は六千六百四十二世帯、補償資金額は三百六十二万二千二百元に達した。

生態山林保護員になることは決して容易ではない。吉安市遂川県楠木村の貧困世帯の黄連華さんは、「審査・採用選考・研修を経て、ようやく持ち場につくことができる」と話す。保護林のパトロールというのは決して軽視できない仕事であり、黄さんはこの仕事を非常に貴重な仕事とみなし、毎日薄暗いうちから家を出て山を巡回する。「今では安定した収入を得られるようになった。これからは貧困生活に戻るかもしれないという心配をする必要はなくなった」と黄さん。

生態山林保護員たちが次々誕生し、彼らが山に登っていくことで、青々とした山と澄んだ水の流れが保護されるだけでなく、さらには山々に「緑の銀行」を生み出すことにもなっている。

上空から撮影した江西省吉安市永豊県国家森林公園（撮影・劉浩軍、写真提供・人民図片）

横峰県新篁事務所に所属する陳村湾村の山林保護員である饒瑞さんは、「環境保護の仕事をしっかり行うことは、我々にとっても有益だ」と考えており、仕事に対する意欲も非常に高い。貧困者支援担当幹部のサポートのもと、彼は樹木の下で養殖を始めた。原生態で放し飼いにして、飼料を与えないニワトリやカモは、供給が需要に追いつかない状態で、二〇一九年の世帯収入は四万元を上回った。彼は二〇二〇年、養殖規模を五百数羽まで拡大した。さらに、山辺にある面積約〇・一三ヘクタールの冷水田を改造して養魚池を掘り、百匹あまりのソウギョやフナの養殖を始めた。饒瑞さんは、自信満々の様子で、「今は、誰もが健康的な食生活に関心を寄せている。都会に住む人は、特に、我々が育てている『食べ物』を好んでいる。今後はますます希望が持てるだろう」と話した。

「木を伐採せずに豊かになれる」、至る所にある青々とした山と澄んだ水の流れが、金山や銀山のような富をもたらしてくれる。二〇一九年、全省で生産量の多いアブラッバキの林は三十三万ヘクタールを上回り、貧困世帯が携わるアブラツバキ産業規模は三・三万ヘクタール以上、一千村の貧困村を網羅しており、貧困人口延べ約二十二万人の雇用を促し、一世帯あたりの増収額は二千元に近づいている。

素晴らしい山や水資源は、素晴らしい暮らしをもたらす。共青城市にある九仙嶺森林公園はいまや、ネットでも有名な観光スポットになっている。エコロジカルな生業《なりわい》で生計を立てている方友紅さんは、貧困から脱却しただけではなく、古い住宅を全面的に改築して、二〇一九年の収入は三万六千元に達した。二〇二〇年の春の初め、方さんは自宅の水田〇・六七ヘクタールに葛根《カッコン》を植えた。収穫後は、カッコンパウダーに加工して観光客に販売する準備を進めている。「この一本の草・一本の樹をしっかり守って行けば、今後の生活は間違いなく良くなる一方だ」と方さんは語った。

（戴林峰）

チベット族の女性パイロット、上空から美しい故郷を紹介

堅熱益西さんのオフィスを訪れると、彼女は読書中だった。「最近、観光客がますます増えている。日々の遊覧飛行業務のほか、故郷の美しい景色や文化を彼らにより上手に紹介するため、もっと本を読もうと思っている」と話す堅熱益西さんは、自分の将来の夢について滔滔と語り、その澄んだ大きな瞳は活き活きと輝いていた。

堅熱益西さんは、チベット自治区拉薩《ラサ》雪鷹通用航空公司（雪鷹通航）で初のチベット族女性パイロットだ。普段は、遊覧飛行業務を担当しているほか、ヘリコプターによる救援業務も担当している。そんな彼女は、数年前はラサ市当雄《ダムシュン》県寧中郷の貧困家庭出身の学生だった。

二〇一六年、ラサ第二中等職業技術学校に通っていた彼女のもとにかかってきたクラス担任からの一本の電話が、彼女の運命を変えた。クラス担任は電話で、ある企業が貧困家庭出身学生の中からパイロットを募集することを彼女に知らせ、面接試験を受けるよう勧めた。「パイロット？」と彼女は何度も繰り返し確認した。なぜなら耳にしたこ

ヘリコプターから降りてきた堅熱益西さん（撮影・徐馭堯）

とが本当なのかとても信じられなかったからだ。

雪鷹通航は、江蘇若爾通用航空発展集団とラサ市政府が共同で投資・設立した企業で、緊急救援・医療救護・観光保護・遊覧飛行などの航空飛行業務を主に展開している。設立当初、「通用航空＋貧困者支援」という発展コンセプトが打ちたてられ、貧困家庭の貧困脱却を促す目的で、同社はラサの貧困家庭出身学生に的を絞り、パイロット十六人と整備員十二人を募集することを決定した。

二〇一七年一月十二日、堅熱益西さんは江蘇省蘇州市で学び始めた。「初めて飛行機に乗った時は、緊張と興奮でいっぱいだった。そして将来自分が飛行機を操縦する様子を繰り返し想像したものだった」と彼女は当時を振り返った。同年二月十四日は、彼女にとって生涯忘れられない日となった。指導員の龐暁明さんに付き添われ、彼女は初めて実機飛行実習に臨んだ。「ヘリコプターの手動操縦では、位置確認がとても難しかった。龐先生は私に手取り足取り指導してくれただけでなく、手のひらでピンポン玉をつかむことで、操縦における細やかな動きを訓練させた」と堅熱益西さん。実機飛行実習がない日も、彼女は懸命に理論学習に取り組んだ。一年間の努力が実を結び、彼女は飛行理論試験と飛行技術試験に無事合格した。

堅熱益西さんの母親は、「空の上に連れていって、空の上から故郷の草原を見せてあげる」と娘が幼い時に言っていたこの言葉が、まさか本当に実現する日が来るとは思ってもいなかったという。堅熱益西さんによると、二〇一八年に彼女は両親を乗せてラサの上空を飛び、二人はとても感動したという。

「ある時、観光客を乗せて羊卓雍措《ヤムドク》湖の上空を遊覧していると、お客さんは非常に興奮して、チベットの美しい景色を絶賛した。その時、とても達成感を感じた。現在の月給は一万元（約十五万八千円）以上で、家の暮らし向きもどんどん良くなっている」と彼女は話した。

現在はすでにその暮らし向きが軌道に乗っている堅熱益西さんは、自分の力の一部を郷里への奉仕に注ぐようになっている。非番になると実家にたびたび帰る。彼女の弟や近所の子供たちは彼女の周りを取り囲み、いろいろな事を彼女に尋ねてくる。彼女はいつも、皆に飛行に関する知識を伝え、将来大きく羽ばたくための種を彼らの心に撒いている。

「先祖代々から牧畜民だった我が家では、私が女性パイロットになるとはだれも想像してもいなかった。私がパイロットになれたのも、チベットに対する国からの支援のお陰で、現在の素晴らしい政策のお陰だ」と彼女は感慨深げに語った。

チベットでは、数年前から各種措置を講じ、「上下貫通・左右連接」という人材育成の「立体交差橋」建設に力を入れ、現代職業教育システムの構築に取り組んできた。教育における貧困者支援と同時に、産業分野での貧困者支援政策も展開している。二〇一六年以来、チベット自治区における投資額は累計四百数億元（約六千三百億円）に達し、産業貧困者支援プロジェクトを二千八百件以上実施し、貧困人口約二十三万八千人の貧困脱却を促し、七十万以上の農牧畜民がその利益を受けた。ますます多くの住民が、党及び国の優れた政策のもと、自己の努力を通じて、自分の人生を変えている。

（瓊達卓嘎）

故郷の山村に戻り教師になった男性

大学からの合格通知をついに手にした張新文さんは、眉をひそめ、一晩悩みぬいた。それは二〇一二年七月のことだった。学校に上がったのがやや遅かった張さんは、その年すでに二十歳になっていた。彼が手にした合格通知は、「家は貧しくても、勉強することはできる」ということを証明していた。

とはいえ、大学進学は彼にとって頭を悩ませる出来事でもあった。父親は病気がちで、一家の生計を支えているのは母親の稼ぎだけ。張さんは自分を高校まで進学させてくれるために、家族はすでに相当無理をしていたことを十分承知していた。そのため、彼は出稼ぎに出るべきか、それとも大学進学すべきか悩んだ。

張さんが、「僕が出稼ぎに出れば、来年からうちの暮らしはずっと楽になると思う」と落ち着いた口調で自分が出した結論を両親に話すと、三人の間に長い沈黙の時が流れた。

その日、母親は仕事に出かけなかった。そして、「私らは一生貧しいままだけど、だからって一生このままビクビクしてちゃダメだよ！」と張さんを説得にかかった。なかでも張さんが最も印象に残っている母親の一言は、「全てを投げうってでもお前を大学に行かせてあげるから！」だった。母親は文盲だが、母親が語る言葉からは、傈僳《リス》族（少数民族の一つ）特有の、何事にも屈しない強さがにじみ出ていた。

大学に進学するには、より多くの支出を伴うことを意味する。一家は、学費をどこから捻出するか考え始めた。ブタを売ればいくばくかの収入は得られる。親戚からのご祝儀も一千元（一元は約十五・八円）ほどにはなった。しかしいくら計算し、色々と考えたところでやはり足りそうにない。万事休すかと思われたそ

授業の合間に生徒と交流する白済汛郷中心完全小学校のクラス担任・張新文さん（撮影・李建生、写真提供・人民図片）

の時、村のグループリーダーである張建軍さんがいい知らせを持ってきてくれた。大学に合格すれば、県の民生局から二千元の資金援助を得られるのだという。

　この二千元は、張さんにとってまさに「干天の慈雨」となった。当時維西県では、多くの貧困家庭の子弟がこの支援金を手にして、山を出て進学した。二〇一九年末の時点で、雲南省迪慶《デチェン》チベット族自治州維西県が資金援助を行った貧困家庭出身で大学・高等学校に進学した学生は、累計千六百三十一人に達し、「必要があれば可能な限り助ける」ことを実現した。

　二〇一二年八月末、張さんはついに大学の正門前に立った。彼が維西大山を出たのはこれが初めてだったが、期待に値する未来への扉はすでに開かれていることを彼は実感していた。家族にかかる負担を最小限に

リズミカルで様々なスタイルがある維西県リス族の伝統舞踊「阿尺目刮」。人々は、原野で歌を歌い舞い始め、男女がペアになってデュエットしながら踊る（写真提供・維西政府網）

上空から俯瞰した維西リス族自治県塔城鎮の風景。澄み切った河が貫くように流れる（写真提供・維西政府網）

抑えるため、張さんは休みになるとすぐにアルバイトに精を出した。こうして、一家の暮らしぶりは次第に良くなり、三年間の大学生活は瞬く間に過ぎていった。

二〇一五年、張さんは、「学校での代理教員の仕事に興味はありますか？」という維西県にある中学・高校の教科担任からの電話を受けた。卒業を控え就活中だった張さんの心が少し揺れた。その後、張さんは故郷で代理教員として働くことになった。二〇一七年には正規教員になるためのテストに合格、みごと正規教員になった。安定した収入を得られることになり、張さん一家は、同年、政策規定により貧困からの脱却を果たした。

白済汛郷中心完全小学校に通う生徒のほとんどは

リス族の子供たちで、就学前の基礎教育が総じて劣っており、僻地の山村に住む子供の中には、入学時に標準語である「普通語」を理解できない子供すらいた。子供たちにより効果的に知識を授けようと、張さんはまず普通語で話した後、リス語に訳して子供たちに話した。「私が最初に担当した子供たちはすでに四年生になった。彼らの話す普通語は、今では私よりずっと標準的。教育は自分自身を変えるだけではなく、この山岳地帯全体を変えつつある」と張さんは語った。

校内の環境も日に日に良くなり、周囲の同僚の中にも、大卒生や大学院卒業者がますます増えてきている。子供たちはインターネットを利用し始め、大山の外の世界に対してより多くの期待を抱いている。張さんも、将来に対して自信をみなぎらせている。

昼休みの前、廊下の一角にある図書コーナーで本を読んでいた数人の子供たちは、張さんを目にすると、彼を引き留めあれこれ質問した。張さんはそのままそこに腰を下ろすと、子供たちと一緒にある物語を読み始めた。「勉強が好きな子供たちの心は、この大山でも阻むことはできない」と張さんは感慨深げに話した。

（楊文明）

貧困脱却後の再貧困化防止の支援制度を整備

貧困脱却の難関攻略がここまで進んだ今日、再貧困化の防止が難関攻略の継続と同様に重要となっている。各地のおおよその調査では、すでに貧困から脱却した人々のうち二百万人近くに再貧困化のリスクがあり、ボーダーライン上の人々も三百万人近くに貧困化のリスクがある。各地は再貧困化を防止するために見守り、支援する制度を整備して、ターゲットをしぼった措置を講じ、貧困脱却の成果を揺るぎないものにし、貧困脱却における難関攻略目標・任務の質の高い完成を確保することを積極的に模索している。

再貧困化の防止には、まず重点的対象をしっかりと明確にする必要がある。

国務院貧困者支援弁公室は、最貧困化防止のための見守りは世帯単位とし、すでに貧困から脱却したと登録されたが不安定な世帯、所得が登録貧困世帯をわずかに上回るボーダーライン上の世帯を主に見守る方針を明確に打ち出した。現時点で安徽省はボーダーライン世帯を六万千二百七十九世帯確認し、二十万六千六百件の支援措置を定め、タ

二〇二〇年十月十三日、安徽省亳州市の家庭農場でキノコを収穫する農民（撮影・劉勤利、写真提供・人民図片）

ーゲットをしぼった支援を通じて、すでにボーダーライン世帯一万八千二十九世帯の貧困化リスクを解消した。

タイムリーに注意を払い、早期に支援すれば、再貧困化を防止できる。「新疆貧困脱却難関攻略データプラットフォーム」は未だ貧困から脱却していない十六万人余りの人々、すでに貧困から脱却した二百九十二万人余りの人々、貧困に陥りやすいボーダーライン上の人々三十七万人の動的情報を収録している。「赤・オレンジ・黄色・緑」の四色で所得水準や再貧困化リスクを示しており、一目瞭然だ。

垣根を越えて、データを共有する。河北省魏県や館陶県では医療保険・民政・緊急管理データネットワークによって、病気や災害のために大きな支出をした人々を識別し、速やかに基金を通じて支援している。

再貧困化と貧困化の防止には、根本的には貧しい人々の自己発展能力を高めることで、その雇用が保障され、持続的で安定した増収が確保されるようにする必要がある。

労働技能訓練、労務貧困者支援協力、貧困者支援工場。安徽省は様々な就業支援手段を講じて、貧困人口百六十二万九千五百人の就業を実現し、再貧困化のリスクを抱える人々のための就業ネットワークをしっかりと構築した。

保障ネットをしっかりと構築して、病気・災害・学業による貧困化を防止する。各地は一連の措置を講じて、労働能力のない見守り対象に対して、しかるべき保障を確保し、病気・障害・災害など不測の事態によって再貧

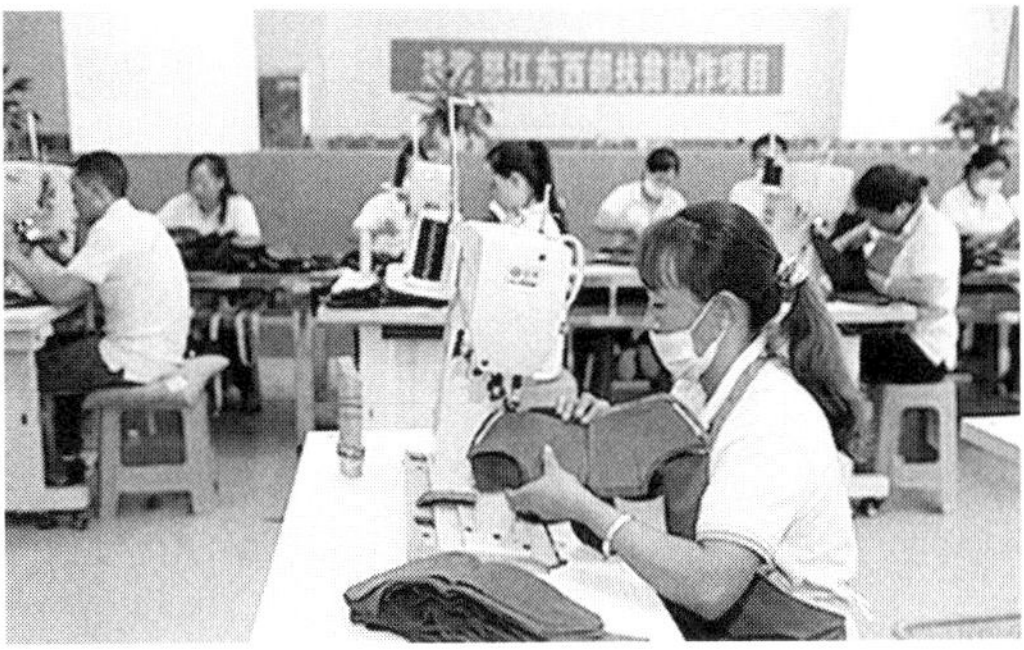

二〇二〇年十月十四日、怒江州林生暖民鞋業有限公司の就業貧困者支援工場で、靴を縫製する労働者（撮影・梁志強、写真提供・人民図片）

二〇二〇年十月十四日、貴州省銅仁市玉屏トン族自治県のイチゴ栽培基地で農民を率いてイチゴに施肥する村幹部（撮影・胡攀学、写真提供・人民図片）

困化・貧困化した世帯に対して、速やかに支援を行っている。

全国で累計九十八万余りの貧困者支援産業事業が実施され、貧困世帯の九十二パーセントをカバーしている。八月末までに全国の貧困者支援事業、貧困者支援リーディングカンパニー、貧困者支援工場が全面的に活動を再開し、出稼ぎ貧困労働力は二〇一九年の百六パーセントに達し、貧困者支援消費額は千三百億元近くに達した。

現段階で、全国で計二十五万五千の駐村作業チーム、累計二百九十万人余りの貧困者支援幹部が派遣され、貧困脱却難関攻略戦の全面的勝利を確保している。

（王浩、史自強）

歴史上前例のない中国貧困削減の速さと規模

世界銀行で貧困・公正グローバルプラクティスのディレクターを務めるカロリーナ・サンチェスーパラモ氏は人民日報の取材に応じた際、過去四十年余りの中国の貧困削減の措置と成果を高く評価し、「改革開放の四十年余りで、中国では八億人余りが貧困を脱却した。これは同時期の全世界の貧困削減総数の七十パーセント以上を占める。中国の貧困削減は著しい成果を挙げた」と語った。

パラモ氏は「中国は最貧困地区にインフラ、衛生サービス、教育、技術援助面の投資を向けてきた。また、条件付きの現金給付や医療保障政策など、各地の発展の実情に合った貧困削減政策を実施してきた。積極的な貧困者支援政策やプロジェクト支援も、近年の新技術や新サービスの応用も、貧困削減において重要な役割を発揮している」と指摘。「中国の貧困削減は速度も規模も歴史上前例がないものだ」と述べた。

パラモ氏は「一九九〇年代、貧困人口が最も多かったのは東アジア・太平洋地域と南アジア地域で、世界の極度貧困人口の約八十パーセントを占めていた。中国の貧困人口の急速な減少に伴い、この状況も変わった」と指摘した。

新型コロナウイルス感染症は、第二次大戦終結以降、最も深刻な世界的な公衆衛生上の危機だ。世界銀行は二〇二〇年、新型コロナの流行によって一億人が再び極度の貧困に陥ると見る。感染拡大が続いた場合、この数字はさらに大きくなりかねない。世界銀行は各国に、自国の状況に基づいて政策を定め、実施して、援助計画の恩恵が既存の及び新たな貧困人口に及ぶようにするよう呼びかけている。「現在世界銀行は各国政府に統計、政策提言、財政資源を提供することで、彼らがより良く新型コロナに対処し、対策能力を高める手助けをしている」。

「我々は中国の採用に適した貧困削減ノウハウを他国と分かち合うことを支持する」。パラモ氏は「貧困削減の分野において、中国は世界銀行の重要なパートナーであり、双方は多くのプロジェクトを共同で実施してきた。世界銀行は現在中国政府と協力して、貧困削減における中国のノウハウ及び他国が関心を抱き得る各分野での鍵を握る実践及び政策を総括している。今後、世界銀行は中国と引き続き協力し、貧困削減と持続可能な開発の実現の面で支援を行っていく」と述べた。

（呉楽珺）

農村振興を全面的に推進

世界にとって、中国の貧困脱却は成功のストーリーであり、さらに希望と未来のストーリーでもある。

中国は貧困脱却難関攻略戦で勝利を収めた後、農村振興を全面的に推進しようとしている。「貧困脱却難関攻略戦に全面的に勝利したことは、中国共産党が、中国人民が素晴らしい生活を創造して共同富裕を実現するよう団結し導く道のりの上で着実な大きな一歩を踏み出したことを示している」。全国貧困脱却難関攻略総括表彰大会で、習近平国家主席はこのように述べた上で、「発展の不十分、アンバランスの問題を解決し、都市部と農村部との地域発展格差を縮小し、個人の全面的な発展と国民全体の共同富裕を実現することは、依然として責任の重い遠い道のりだ」と強調した。

歴史にその成果を記し、永遠に前に向かって奮闘努力する。「貧困から脱却した後は、間断なく農村振興を推進し、農業・農村の近代化を加速的に推進しなければならない」。

二〇二一年春節（旧正月、二月十二日）を控え、かつて重度の貧困村だった貴州省畢節市化屋村で、習主席は村の人々にこのように親しく語りかけた。

民族が復興しようとするなら、必ず農村を振興しなくてはならない。農村振興は中華民族の偉大な復興を実現するための重大な任務の一つだ。将来、社会主義近代化国家を全面的に建設し、中華民族の偉大な復興を実現する上で、最も困難で最も大きな任務は引き続き農村にあり、最も広範囲にわたり、最も深みと厚みのある基礎もやはり農村にある。農村振興戦略の全面的実施の深さ、広さ、難しさはいずれも貧困脱却難関攻略戦に引けを取らず、トップレベルデザインを強化し、より強力な措置を取り、より強大な力を結集して後押しをする必要がある。

習主席は、「貧困地域に驚天動地の変化が起きており、中華民族を数千年にわたり苦しめてきた絶対的貧困の問題の解決が歴史的な成果を収め、小康社会の全面的な完成のために重要な貢献を行い、社会主義近代化国家の全面的建設の新たな道のりを切り開くために着実な基礎を打ち立てた」と強調した。江西省の井岡山市神山村では、農家民宿ツアーに参加する観光客が途切れることがない。河北省の灤平県では、荒涼とした山の上に太陽光パネルが日の光を受けてキラキラと輝いている。陝西省の柞水県では、小さなキクラゲが大きな産業に変身した。山西省大同市では、エゾキスゲが「富を生み出す花」を咲かせた……貧困脱却難関攻略戦が全面的勝利を収め、農村の貧困人口がすべて貧困から脱却し、小康社会の全面的建設の目標・任務の実現のために鍵となる貢献を行った。貧困から脱却した地域の経済社会の発展は大きな足取りで他の地域に追いつき、全体の様子が歴史的な大きな変貌を遂げた。貧困を脱却した人々の精神や風貌はがらりと変わり、自立・自強の自信と勇気が加わった。中国の貧困削減のガバナンスモデルを作り出し、世界の貧困削減の事業のために重要な貢献を行った。

中国が実現しようとしている近代化は、人口規模の極めて大きな近代化であり、国民全体が共同で豊かになる近代化であり、物質文明と精神文明とが協調する近代化であり、人と自然が調和し共生する近代化であり、平和発展の道を歩む近代化だ。このような近代化は、貧困を脱却した後の再出発と切り離せず、農村の振興の中で再び力を発揮することと切り離せず、億単位の国民の数々の困難を乗り越え、引き続き永遠に終わることのない奮闘努力と切り離せない。

「お腹いっぱい食べられる」から「精製したコーリャン・トウモロコシを食べられる」ようになり、「小麦粉・米を食べたいだけ食べられ、普段から肉を食べられる」ようになり、最終的には「農業の近代化が実現される」……二〇二〇年の全国人民代表大会と全国人民政治協商会議で、習主席が、かつて黄土高原で農村の人々が「どのような暮らしが幸福な生活なのか」という問いに出した答えを追想し、心からの気持ちを込めて「私たちの世代の人間が心に決めていることがある。それは人々を支えるということ、とりわけ農民を支えるということだ。社会主義の道のりにおいては一人でも欠けてはならない。全面的な小康社会に向かって、みんなで一緒に進もう」と呼びかけた。

現在、農村の人々の素朴な願いが現実となり、中国は中華民族を数千年にわたり苦しめてきた絶対的貧困の問題の解決で偉大な歴史的な成果を収め、人類の貧困削減の歴史における奇跡を生み出した。貧困脱却難関攻略戦の全面的な勝利は、国を挙げて心を一つにする堅く強い意志を結集し、農村振興に向けたみなぎるパワーをかき立て、夢を追いかけ、夢を実現する闘志と意欲を奮い立たせている。

（任仲平）

（人民日報 二〇二一年三月三日掲載文より抜粋）

筆者一覧

和　音	李亜楠	汪　陽	楊佳慧
申少鉄	厳　氷	朱春宇	劉志強
顧仲陽	常　欽	程是頡	劉軍国
万秀斌	張雲河	程　煥	楊文明
王　梅	顔　珂	王漢超	呉　勇
李昌禹	徐元鋒	鄭海鴎	李茂穎
李富強	羅　薇	馬　原	戴林峰
瓊達卓嘎	王　浩	史自強	呉楽珺
任仲平			

（掲載順）

特別収録

イギリス青年が見た中国の貧困脱却難関攻略戦

イギリス青年司徒建国（Stuart Wiggin）氏は、二〇〇七年にオックスフォード大学を卒業後、中国に来た。彼はいくつもの中国の貧困地域を訪れ、貧困脱出を体験し、中国の貧困地域の変化の様子を目の当たりにした。

人民日報国際部・人民日報メディア技術社の提供により、司徒氏が体験した中国の貧困脱出を記録した四本の動画を下記のQRコードからアクセスして視聴できる。

①貧困から脱出した于営村の変化

②「断崖村」からの貧困世帯の移住

③新春村の洞窟バスケット場

④トングリ砂漠での緑化活動

特別収録

人民日報記者の貧困扶助の物語

二〇一〇年、呂暁勲氏は大学卒業後、人民日報社に入社した。二〇一八年八月、呂氏は人民日報の社内募集に応募し、河北省承徳市灤平県の貧困扶助事業に参加し、後に貧困地域である平坊満族郷于営村の共産党書記となった。二年余りが経ち、于営村は貧困からの脱却を全面的に実現した。街灯が灯り、あちこちに道路が通り、古かった家屋も次々と改築され、多くの貧困扶助産業が推進された。

人民日報英語アプリケーション部門の提供により、呂氏が経験した于営村の貧困扶助の物語を記録した動画を左のＱＲコードからアクセスして視聴できる。

人民日報国際部

人民日報は1948年6月15日に創刊された中国で最も権威があり、信頼と影響力を備えた全国紙である。2020年の購読契約は350万部に達しており、国際連合教育科学文化機関（ユネスコ）から「世界10大新聞」の1つという高評価を受けた。

現在は紙媒体とともに、新聞や雑誌、ニュースサイト、テレビ、ラジオ、ニュース配信用タッチパネル端末スタンド、モバイルニュース、微博（Weibo）、微信（WeChat）、アプリケーションといった多種多様なプラットフォームを利用して様々なニュース製品を発信する、マルチメディアスタイルの新型メディアグループへと発展している。

そのうち国際部は、国際ニュース報道に特化した部門である。

精準脱貧　中国の的確な貧困脱却達成の物語

2021年6月22日　初版第1刷発行

編　者　人民日報国際部・日中交流研究所

発行者　段 景子

発行所　日本僑報社

〒171-0021 東京都豊島区西池袋3-17-15

TEL03-5956-2808　FAX03-5956-2809

info@duan.jp

http://jp.duan.jp

e-shop「Duan books」

https://duanbooks.myshopify.com/

ISBN 978-4-86185-310-4　C0036

日本僑報社好評既刊書籍

中国政治経済史論

胡鞍鋼 著　日中翻訳学院本書翻訳チーム 訳

大反響!! 橋爪大三郎氏毎日新聞書評掲載
(2018年1月14日(日)、2019年8月25日(日))
中国研究月報2021年1月号書評掲載

毛沢東時代（1949～1976）

「功績七分、誤り三分」といわれる毛沢東時代はいかにして生まれたか。膨大な資料とデータを駆使し、新中国建国から文化大革命までを立体的に描き「中国近代化への道」を鋭く分析した渾身の大作。

A5判712頁 上製　定価16000円＋税
2017年刊　ISBN 978-4-86185-221-3

鄧小平時代

鄧小平ら中国共産党の指導者たちは如何にして発展、興隆、強大化の道を歩み出したのか。中国の「改革開放」と経済発展の軌跡を多角的に解き明かし、現代中国研究に欠くことのできない一冊。

A5判724頁 上製　定価18000円＋税
2019年刊　ISBN 978-4-86185-264-0

病院で困らないための日中英対訳
医学実用辞典

第1位
Amazon
ベストセラー
〈医学辞事典・白書〉
(2016/4/1)

松本洋子 著

根強い人気を誇るロングセラーの最新版、ついに登場！海外留学・出張時に安心、医療従事者必携！指さし会話集＆医学用語辞典。
すべて日本語（ふりがなつき）・英語・中国語（ピンインつき）対応。

A5判312頁 並製　定価2500円＋税
2014年刊　ISBN 978-4-86185-153-7

新装版 関口知宏 著
「ことづくりの国」日本へ
そのための「喜怒哀楽」世界地図

第1位
Amazon
ベストセラー
〈紀行文・旅行記〉
(2014/11/13)

NHK「中国鉄道大紀行」で知られる著者が、人の気質要素をそれぞれの国に当てはめてみる「『喜怒哀楽』世界地図」持論を展開。

八重洲ブックセンター総合ベストセラー〈ノンフィクション〉(2014/8/31～9/6)

四六判248頁 並製　定価1800円＋税
2018年刊　ISBN 978-4-86185-266-4

愛蔵版
中国人の食文化ガイド
心と身体の免疫力を高める秘訣

熊四智 著　日中翻訳学院 監訳
山本美那子 訳・イラスト

"料理の鉄人"陳建一氏 推薦!!

読売新聞書評掲載（2021/1/24）

第5位
Amazonベストセラー〈中国の地理・地域研究〉(2020/12/2)

四六判384頁 並製　定価3600円＋税
2020年刊　ISBN 978-4-86185-300-5

わが七爸《おじ》 周恩来

第1位
Amazon
ベストセラー
〈歴史人物評伝〉
(2014/12/10)

周爾鎏 著
馬場真由美
松橋夏子 訳

新中国創成期の立役者・周恩来はどのような人物であったのか。親族だからこそ知りえた周恩来の素顔、真実の記憶、歴史の動乱期をくぐり抜けてきた彼らの魂の記録。

A5判280頁 上製　定価3600円＋税
2019年刊　ISBN 978-4-86185-268-8

手を携えて 新型肺炎と闘う

孔鉉佑駐日中国大使
「互いに見守り助け合う隣人の道」掲載

人民日報国際部
日中交流研究所 編著

中国が日本や世界と連携し新型肺炎の脅威に立ち向かう。「中国国内」「中国と世界」「中国と日本」の3つのテーマで最新情報を紹介。

四六判244頁 並製　定価1900円＋税
2020年刊　ISBN 978-4-86185-297-8

日本人70名が 見た 感じた 驚いた
新中国70年の変化と発展

笹川陽平、島田晴雄、近藤昭一、西田実仁、伊佐進一、小島康誉、池谷田鶴子 など70人 著

中国は2019年に成立70周年を迎えた。日本人たちは隣人である中国の変化と発展をどう見ているのか。日本の各界人士70人からのメッセージを収録。

A5判568頁 上製　定価4900円＋税
2019年刊　ISBN 978-4-86185-283-1

日本僑報社好評既刊書籍

屠呦呦（トゥ・ユウユウ）
中国初の女性ノーベル賞受賞科学者

同時にノーベル生理学・医学賞受賞を果たした大村智博士推薦！

『屠呦呦伝』編集委員会 著
日中翻訳学院 西岡一人 訳

中国の伝統医薬から画期的なマラリア新薬を生み出し、2015年に中国人女性として初のノーベル賞受賞を成し遂げた女性研究者の物語。

四六判144頁 並製 定価1800円＋税
2019年刊 ISBN 978-4-86185-218-3

日中語学対照研究シリーズ
中日対照言語学概論
—その発想と表現—

高橋弥守彦 著

中日両言語は、語順や文型、単語など、いったいなぜこうも表現形式に違いがあるのか。現代中国語文法学と中日対照文法学を専門とする高橋弥守彦教授が、最新の研究成果をまとめ、中日両言語の違いをわかりやすく解き明かす。

A5判256頁 並製 定価3600円＋税
2017年刊 ISBN 978-4-86185-240-4

日本の「仕事の鬼」と中国の〈酒鬼〉
漢字を介してみる日本と中国の文化

冨田昌宏 編著

鄧小平訪日で通訳を務めたベテラン外交官の新著。ビジネスで、旅行で、宴会で、中国人もあっと言わせる漢字文化の知識を集中講義！
日本図書館協会選定図書

四六判192頁 並製 定価1800円＋税
2014年刊 ISBN 978-4-86185-165-0

中国漢字を読み解く
〜簡体字・ピンインもらくらく〜

前田晃 著

簡体字の誕生について歴史的かつ理論的に解説。三千数百字という日中で使われる漢字を整理し、体系的な分かりやすいリストを付す。初学者だけでなく、簡体字成立の歴史的背景を知りたい方にも最適。

A5判186頁 並製 定価1800円＋税
2013年刊 ISBN 978-4-86185-146-9

世界と共に発展していく
人民日報で読み解く 第2回中国国際輸入博覧会

人民日報国際部
日中交流研究所 編著

世界最大の巨大市場である中国市場を開放し各国にビジネスチャンスをもたらした第2回中国国際輸入博覧会（輸入博）を人民日報国際部から日本に紹介。中国ビジネス、中国貿易に必携の一冊。

四六判96頁 並製 定価1600円＋税
2019年刊 ISBN 978-4-86185-293-0

日本各界が感動した新中国70年の発展成果
温故創新 人民日報駐日本記者現地取材集

劉軍国 著 日中翻訳学院 冨江梓ほか 訳

序文 孔鉉佑 中華人民共和国駐日本国特命全権大使

「多くの日本の友人に真実の中国を知ってもらい、ご自分の実際の行動をもって中日関係にプラスエネルギーを注ぎ込んでもらいたいと願っています」

四六判304頁 並製 定価2800円＋税
2019年刊 ISBN 978-4-86185-284-8

李徳全
日中国交正常化の「黄金のクサビ」を打ち込んだ中国人女性

石川好 監修
程麻／林振江 著
林光江／古市雅子 訳

戦後初の中国代表団を率いて訪日し、戦犯とされた1000人前後の日本人を無事帰国させた日中国交正常化18年も前の知られざる秘話。

四六判260頁 上製 定価1800円＋税
2017年刊 ISBN 978-4-86185-242-8

二階俊博 —全身政治家—

石川好 著

日本のみならず、お隣の大国・中国でも極めて高い評価を受けているという二階俊博氏。
その「全身政治家」の本質と人となり、「伝説」となった評価について鋭く迫る、最新版の本格評伝。

四六判312頁 上製 定価2200円＋税
2017年刊 ISBN 978-4-86185-251-0

日本僑報社好評既刊書籍

日中中日翻訳必携 実戦編Ⅳ
こなれた訳文に仕上げるコツ

好評シリーズ最新刊!!

武吉次朗 編著

「解説編」「例文編」「体験談」の各項目に分かれて、編著者の豊かな知識と経験に裏打ちされた講評に加え、図書翻訳者としてデビューした受講者たちの率直な感想を伝える。

四六判176頁 並製 定価1800円＋税
2018年刊 ISBN 978-4-86185-259-6

日中中日翻訳必携 実戦編Ⅲ
美しい中国語の手紙の書き方・訳し方

千葉明 著

日中翻訳学院の武吉次朗先生が推薦する「実戦編」第三弾！
中国語手紙の構造を分析して日本人向けに再構成し、テーマ別に役に立つフレーズを厳選。

A5判202頁 並製 定価1900円＋税
2017年刊 ISBN 978-4-86185-249-7

日中中日翻訳必携 実戦編Ⅱ
脱・翻訳調を目指す訳文のコツ

武吉次朗 著

ワンランク上の訳文に仕上げるコツを全36回の課題と訳例・講評で学ぶ。プロ翻訳者を目指す方に役立つ必携テキスト。

四六判192頁 並製 定価1800円＋税
2016年刊 ISBN 978-4-86185-211-4

日中中日翻訳必携 実戦編
よりよい訳文のテクニック

武吉次朗 著

実戦的な翻訳のエッセンスを課題と訳例・講評で学ぶ。より良い訳文づくりのためのヒントが満載された一冊。

四六判192頁 並製 定価1800円＋税
2014年刊 ISBN 978-4-86185-160-5

日中中日 翻訳必携 基礎編
翻訳の達人が軽妙に明かすノウハウ

2021年2月第四刷発行

武吉次朗 著

古川 裕（中国語教育学会会長・大阪大学教授）推薦のロングセラー。
著者の四十年にわたる通訳・翻訳歴と講座主宰及び大学での教授の経験をまとめた労作。

四六判180頁 並製 定価1800円＋税
2007年刊 ISBN 978-4-86185-055-4

ポストコロナ時代の若者交流
日中ユースフォーラム2020

段躍中 編

「中国人の日本語作文コンクール」「中国滞在エピソード」を受賞した日中の若者たちがネット上に集い、ポストコロナ時代の国際交流について活発な討論を行った開催報告書。

「中国人の日本語作文コンクール」受賞作品集 好評発売中!!

四六判168頁 並製 定価1800円＋税
2021年刊 ISBN 978-4-86185-308-1

アメリカの名門CarletonCollege発、全米で人気を博した

悩まない心をつくる人生講義
—タオイズムの教えを現代に活かす—

チーグアン・ジャオ 著
町田晶（日中翻訳学院）訳

2500年前に老子が説いた教えにしたがい、肩の力を抜いて自然に生きる。難解な老子の哲学を分かりやすく解説し米国の名門カールトンカレッジで好評を博した名講義が書籍化！

四六判247頁 並製 定価1900円＋税
2016年刊 ISBN 978-4-86185-215-2

日中文化DNA解読
心理文化の深層構造の視点から

尚会鵬 著
谷中信一 訳

昨今の皮相な日本論、中国論とは一線を画す名著。
中国人と日本人の違いとは何なのか？文化の根本から理解する日中の違い。

四六判250頁 並製 定価2600円＋税
2016年刊 ISBN 978-4-86185-225-1